KB172058

형사처벌

피하는

法

형사처벌 피하는 法

발 행 | 2023년 12월 20일
저 자 | 변호사 박호동
펴낸이 | 한건희
펴낸곳 | 주식회사 부크크
출판사등록 | 2014.07.15(제2014-16호)
주 소 | 서울특별시 금천구 가산디지털1로 119 SK트윈타워 A동 305호
전 화 | 1670-8316
이메일 | info@bookk.co.kr

ISBN | 979-11-410-6125-8

www.bookk.co.kr

ⓒ 변호사 박호동 2023
본 책은 저작자의 지적 재산으로서 무단 전재와 복제를 금합니다.

형 사 처 벌
피 하 는
法

변호사 박호동 지음

목　차

제2부 범죄를 피하는 法

머 리 말

2022년 법무연수원에서 발간한 범죄백서에 따르면, 2021년 제1심 형사판결의 무죄 비율은 3%였습니다. 다시 말하면 기소가 된 100명 중 단 3명만이 무죄 판결을 받았다는 의미입니다. 이런 통계 숫자를 통해 알 수 있는 바와 같이 일단 기소가 되면 형사처벌을 피하기는 매우 어렵습니다. 그러나 유죄 판결을 받게 될 일반적인 확률이 높다고 해서 구체적인 개별 사건에서 무죄 판결에 대한 희망을 버려야 하는 것은 아닙니다. 그 사건에 무죄 판결을 이끌어 낼 수 있는 요건이 존재한다면 무죄 판결을 이끌어 낼 수도 있기 때문입니다. 형사변호사의 주된 역할은 이러한 요건을 찾아내는 것입니다.

이 책의 제1부 「불리한 판결을 피하는 法」에는 필자가 직접 수행했던 형사사건 중 12건의 무죄 판결 사례를 기초로 무죄 판결을 이끌어 낼 수 있는 요건들이 정리되어 있습니다. 구체적 사건에서 그와 같은 요건들이 존재한다면 무죄 판결을 이끌어 낼 수 있는 가능성이 높아진다는 것을 의미합니다. 그 밖에도 영장실질심사 기각 사례와 항소심 감형 사례를 통해 영장실질심사와 항소심 단계에서 불리한 판결을 피하는데 도움이 될 수 있는 내용도 함께 정리되어 되어 있습니다.

이와 같은 제1부의 내용 중 무죄 판결과 관련된 정리 내용은 필자의 일본 유학 시절 경험과 관련이 있습니다. 일본은 우리나라의 대법원에 해당하는 최고재판소가 2015년 발간한 사법통계에서 유죄 판결 비율이 99.86%로 집계되어 99.9라는 제목의 형사 법정 드라마까지 만들어졌을 정도이기 때문에 한국과 달리 일본에서는 1명의 변호사가 10건이 넘는 무죄 판결을 이끌어 낸다는 것은 드라마 속에서나 가능한 일로 생각되기 쉽습니다. 그렇기 때문에 일본 유학 시절 일본 변호사들과 한일 양국의 형사실무를 주제로 한 대담 중 12건의 무죄 판결 경험이 언급되자 구체적인 무죄 판결의 이유에 대한 많은 관심과 질문을 받게 되었습니다. 이 경험 이후 각 사건별로 무죄 판결을 받을 수 있었던 이유를 정리할 기회가 있으면 좋겠다는 생각을 가지게 되었고, 그러한 생각이 이 책의 제1부 집필로 연결되게 되었습니다.

제1부에서 소개한 사례들 중 무죄 판결이 확정된 사안은 피고인들이 꿈꿀 수 있는 가장 행복한 결말에 해당합니다. 그러나 그러한 행운은 극소수에게만 허용됩니다. 일단 형사절차가 개시되면 수사기관에

소환되어 피의자 신문을 당하게 되는 가장 기본적인 절차부터 시작해서 사안이 중대한 경우에는 체포나 압수수색 등의 강제수사를 거쳐 영장실질심사까지 받는 과정을 거쳐야 하기 때문에 형사재판이 시작되기도 전에 소위 영혼까지 털리는 경험을 하게 되는 경우가 많습니다. 이와 같이 한 개인의 인생에 심대한 영향을 미치는 형사사건의 변호를 맡아 사건을 진행하다 보면 인간이 왜 범죄를 저지르게 되는지에 대한 질문을 스스로에게 던지게 됩니다. 이 책의 제2부 「범죄를 피하는 法」은 그러한 질문에 대한 답을 찾는 과정에서 나왔습니다.

우리 형법과 형사실무에서는 범죄라는 것은 인간이 자유의지에 따라 계획하고 실행한 결과물로 봅니다. 이러한 사고에 기초해서 형법 교과서에서는 범죄자가 범죄를 저지를 때 범죄자의 내심에 "범의犯意의 비약적飛躍的 표동漂動"이 있었다는 표현을 사용합니다. 범죄자가 범죄를 저지를 중대한 결심을 하고 범죄행위로 나아갔다는 생각에서 나온 표현입니다. 이러한 생각은 범죄자를 처벌하는 이유를 범죄자가 자유의사에 따라 범죄를 저질렀기 때문으로 보는 도의적 책임론으로 연결됩니다. 그러나 뇌신경해부학, 뇌신경인지학, 진화심리학 등 인간의 뇌에 대해서 최근까지 이루어진 여러 분야의 과학적 연구결과를 종합해보면 이러한 견해에 의문이 생기게 됩니다. 제2부에서는 이러한 의문을 기초로 인간이 범죄를 저지르게 되는 원인을 분석해보고, 그에 기초해서 범죄를 저지르지 않기 위해서는 무엇을 어떻게 해야 하는지에 대한 생각을 정리해보았습니다.

우리 법체계는 모든 인간은 평등하다는 평등주의 이념에 입각해 있습니다. 여기서 평등주의는 모든 인간을 평등하게 취급하겠다는 당위적인 의미이지 실제로 모든 인간이 평등하다는 현실을 의미하는 것은 아닙니다. 모든 인간은 저마다 유전자도 다르고 자라온 환경도 다르기 때문에 실질적으로는 평등하지 않습니다. 이러한 현실과 무관하게 형사법상 평등주의는 책임에 있어서의 평등을 의미합니다. 동일한 범죄에 대해서 동일한 형법 규정에 따라 동일하게 처벌하겠다는 뜻입니다. 결국 실질적인 불평등이 존재하는 상황임에도 불구하고 책임에 있어서는 평등이 강제되는 구조입니다. 이 책의 제2부에서 다룰 내용에 더해서 이러한 점까지 고려하면 설령 유죄 판결을 선고받았다고 해서 거기에 지나치게 매몰되서는 안된다고 생각합니다.

인생 전체를 놓고 보면 한 형사사건의 유무죄 여부에 대한 결론보다 그 형사절차가 종료된 다음 어떤 태도를 취할 것인가가 더 중요할 수 있습니다. 자신의 살아온 삶의 궤적뿐만 아니라, 자신의 습관적인 사고방식, 행동패턴 등 근본적인 자신에 대한 탐구를 통해 인생의 항로를 변경할 하나의 계기로 삼을 수 있는지 여부에 따라 미래가 달라질 수 있기 때문입니다. 형사절차라는 과거지향적이고 소모적인 덫에 다시는 빠지지 않도록 노력할 필요가 있다는 의미입니다. 이 책이 그 과정에서 미약하나마 길잡이 역할을 할 수 있으면 좋겠습니다.

변호사 박호동

제1부 불리한 판결을 피하는 法

형사처벌의 역사

현존하는 가장 오래된 성문 법전은 점토판 형태로 발견된 수메르의 우르남무Ur-Nammu 법전입니다. 이 법전은 "이에는 이, 눈에는 눈"이라는 문구로 널리 알려져 있는 함무라비 법전보다도 약 3세기 정도 앞선 것으로 알려져 있습니다. 지금으로부터 약 4천 년 전에 만들어진 이 법전의 제1,2조는 각각 살인을 저지른 사람은 사형에 처하고, 강도를 한 사람도 사형에 처한다고 규정하고 있었습니다.

범죄와 형벌의 역사가 이처럼 오래된 이유는 무엇일까요? 인간이 일정 규모 이상의 집단을 형성한 이후 범죄행위를 제재하지 않았을 경우 그 집단의 유지가 어려워졌을 것이기 때문입니다. 예를 들어, 나와 내 가족의 생명이나 내 소유물에 대한 최소한의 보장도 받을 수 없다면 개별 구성원인 인간들의 집단에 대한 충성심이나 소속감을 기대하기 어렵고 그 집단은 쉽게 와해될 수밖에 없을 것입니다.

약 4천 년 전 수메르의 통치자들 역시 살인이나 강도범죄가 공동체를 유지하는데 가장 지장을 초래하는 행위로 생각했기 때문에 성문법전의 제1, 2조에서 그러한 범죄를 규정해 두었을 것입니다.

영국의 철학자이자 사회계약론자인 토마스 홉스Thomas Hobbes는 인간의 본성에 관해 성악설적인 입장에서 국가나 사회가 성립되기 이전의 상태를 자연상태라고 부르며, 이 자연상태를 만인의 만인에 대한 투쟁a war of all against all 상태로 묘사했습니다. 홉스의 사회계약론에 따르면 이러한 혼란 상황을 피하기 위해서 인간들은 자연상태에서 누리던 자연권을 절대권력Leviathan에 양도하게 되었다는 것입니다. 결국 홉스의 사회계약론에 따르면, 인간은 만인의 만인에 대한 투쟁이라는 혼란을 종식시키기 위해서 그러한 투쟁의 근본 원인이 된 행위를 범죄라고 이름 짓고 처벌하게 되었다고 설명할 수도 있겠습니다. 이런 이유에서 현재 형법 교과서에서도 범죄를 '사회공동체를 유지함에 있어서 해서는 아니될 행위의 유형'으로 정의하고, 형벌은 '국가가 강제적으로 부과하는 해악'이라고 정의하고 있습니다.[1] 따라서 형법은 위와 같이 정의되는 '범죄와 형벌에 관한 법'을 의미하게 됩니다.

그러나 실제로는 홉스의 설명과 달리 국가나 사회가 성립되기 이전

상태에서 집단생활을 하던 원시인류가 만인의 만인에 대한 투쟁상태가 아니라 형법의 원시적 형태인 규범을 준수하면서 평화로운 삶을 살았던 것으로 보는 견해도 있습니다.[2] 인간의 본성이 선하다고 보기 때문에 이러한 견해가 나온 것은 아닙니다. 보다 중요한 이유는 바로 인간이 타고난 육체적 정신적 조건 때문입니다. 즉, 인간은 다양한 종류의 맹수들을 일대일로 상대해서 제압할 수 없지만 맹수들을 포함한 다른 동물들에 비해 상대적으로 뛰어난 지능 조건을 타고 났습니다. 약한 육체적 조건 때문에 집단생활을 하는 것이 생존에 단순히 유리한 정도가 아니라 생존을 위한 필수적 조건이 될 수밖에 없었을 것입니다. 또한 뛰어난 지능으로 단기적인 이익만을 가져올 뿐인 범죄적 행동보다는 이타적 행동을 통해 집단 내에서 좋은 평판을 얻어 자신의 지위를 확고히 함으로써 장기적으로는 더 큰 이익을 얻을 수 있다는 판단도 가능하게 되었을 것입니다. 이런 조건들이 결합해서 평화로운 공동체 생활이 가능했다고 보는 것입니다.

한편으로는 원시 인류가 놓여 있던 이와 같은 상황 자체가 현재의 인간과 같이 지능이 고도로 발달하게 한 원인이 되었다고 보는 견해도 있습니다. 세쿼이어 나무나 기린이 생존경쟁에서 살아남기 위해서 키가 커지고 목이 길어진 것과 마찬가지로 단순히 힘이 세기보다는 지능이 뛰어난 인간이 진화론적으로 볼 때, 집단 내 규범을 준수하고 좋은 평판을 유지함으로써 군비 경쟁에서 이길 수 있었기 때문입니다. 이처럼 인간이 경쟁에서 살아남기 위해서 지능이 발달하게 되었다고 보는 견해를 사회적 뇌 가설social brain hypothesis 또는 마키아벨리적 지능 가설Machiavellian intelligence hypothesis이라고 합니다.[3]

이와 같이 인간의 뇌 발달이 군비경쟁을 통한 자연선택의 결과라는 결론에 대한 유전학적 증거도 제시되고 있습니다. 시카고 대학 및 하워드휴즈 의학연구소Howard Hughes Medical Institute의 연구 결과에 따르면 두뇌 발달에 영향을 미친 유전자들인 마이크로세팔린과 ASPM이 각각 약 3만7000년 전과 약 5800년 전에 변이를 일으켰다는 사실을 밝혀냈고 이러한 변이시점이 고고학적 증거를 토대로 인류 문화의 비약적 발전이 있었던 시점과 시기적으로 일치한다는 점을 확인한 것입니다.[4]

결국 인간은 다른 동물과 다른 육체적 정신적 특징을 타고 났기 때문에 인간의 자기 보존과 번식에 유리한 생존 전략을 모색하게 되었고, 그 과정에서 인간의 지능이 비약적으로 발달했으며, 그렇게 발달한 지능으로 더 큰 규모의 사회나 국가를 만들어 가는 과정 속에서 범죄를 억제하기 위하여 일찍부터 형사처벌이 사회제도로 자리잡게 되었다고 볼 수 있습니다.

사적 형사처벌

　　형사처벌과 관련한 제도가 정비되기 이전에는 집단 내 범죄와 관련한 문제는 어떻게 해결되었을까요? 집단의 원로를 중심으로 가해자에 대한 집단적 제재 및 피해자에 대한 피해회복의 수위와 구체적 방법이 결정되는 경우도 있었겠지만 이와 같은 집단적 해결이 언제나 가능한 것은 아니었을 것입니다. 그 경우에는 피해자 측의 가해자에 대한 사적 복수를 막기 힘들어졌을 것입니다. 이와 같은 사적 복수를 사적 형사처벌로 공인했던 과거 에도 시대 일본에 존재했던 카타우치敵討 또는 아다우치仇討ち라는 명칭의 제도에 대해서 알아보겠습니다.

　　우선 위 제도가 법제화되어 그 형식이 완비되었던 에도 시대에 대해서 먼저 설명을 드리면 우선 시기적으로는 조선 후기에 대응하는 시대였습니다. 이 시기 직전에는 일본 각지의 무장들이 군웅할거하던 일본 전국시대를 토요토미 히데요시가 통일한 후 1592년과 1597년에 임진왜란과 정유재란을 일으켜 조선을 침략하였으나 그 뜻을 이루지 못하고 정유재란 이듬해인 1598년 5섯 살 난 아들 토요토미 히데요리를 남기고 사망하였습니다. 전쟁에 동원되는 것을 피하며 힘을 길러온 도쿠가와 이에야스가 그로부터 2년 후인 1600년 세키가하라 전투에서 승리함으로써 권력을 잡은 다음 최고 실권자인 쇼군이 되어 자신의 영지였던 에도에 막부를 설립한 후 그 후손들이 쇼군의 지위를 세습하여 에도를 중심으로 메이지 유신 전까지 일본을 통치한 시대를 에도 시대라고 부릅니다. 에도 시대를 사회 구성 측면에서 보면 사무라이라고 불리는 일본 무사계급이 일본 통일 후 임진왜란과 세키가하라 전투를 거친 후 평화시대인 에도 시대로 이행한 이후에도 잔존하여 사회 지배계급으로 군림하던 시대입니다.

에도 시대에도 이미 형사법제도가 나름대로 완비되어 살인사건의 가해자는 공권력에 의해 처벌되는 것이 원칙이었습니다. 그러나 가해자의 행방이 불명하여 이러한 공권력에 의한 처벌이 사실상 불가능하게 되면 예외적으로 피해자의 관계자에게 형사처벌을 위탁하는 형식으로 카타우치敵討라는 사적 형사처벌 제도가 인정되었던 것입니다. 그 인정범위에도 제한이 있어서 부모나 손위 형제가 살해당한 경우에는 이러한 사적 형사처벌이 인정되었으나 처자식이나 손아래 동생이 살해당한 경우는 기본적으로 인정되지 않았습니다. 또한 이러한 사적 형사처벌은 무사 신분인 자에 대해서만 인정되었고, 막부의 허가를 받지 않은 무허가 사적 형사처벌에 대해서는 살인죄가 인정되기도 하였습니다.

이와 같이 사적 형사처벌이 제도적으로 인정되기는 하였으나 그 여러 제한이 있었던 이유는 원칙과 예외의 구별이 무너져 사회가 혼란에 빠지는 것을 막기 위해서였을 것입니다. 분노와 복수심이라는 인간의 가장 원초적인 감정에 기초한 사적 복수에 대한 욕망이 억제되지 않으면 복수가 복수를 낳는 악순환이 반복되어 사회가 정상적으로 기능하기 어려워지기 때문입니다.

그 실증적 예가 바로 국가 간의 전쟁입니다. 제1,2차 세계대전을 경험한 후 인류의 공멸에 대한 위기의식을 느낀 인류는 UN이라는 국제기구를 창설하여 국제 사회의 질서 유지를 도모했습니다. 하지만 개인 간의 관계와는 달리 국가 간의 관계를 강제적으로 규율하는 것은 불가능합니다. 분쟁이 생기면 결국 힘으로 해결될 수밖에 없고, 복수의 악순환을 피하기 어렵게 된다는 의미입니다. 결국 현재 우크라이나와 가자 지구 등지에서 벌어지고 전쟁 상황을 통해 알 수 있는 바와 같이 국제 사회에서의 분쟁은 어느 한 쪽이 사라지기 전까지는 집단 차원의 복수심으로 인해 평화적인 해결을 기대하기 어렵습니다. 국가 내에서 사적 형사처벌을 인정한다면 마찬가지 현상이 발생할 것입니다.

이 때문에 일본 에도 시대에 인정된 사적 형사처벌 역시 공적 형사처벌이 제도적으로 기능할 수 없는 경우에 한하여 최소한의 범위 내에서만 사적 형사처벌을 인정함으로써 사회의 안정과 질서의 유지를 도모하였던 것입니다.

현재는 대한민국을 포함하여 세계 대부분의 나라에서 형사사법제도가 어느 정도 완비되어 적어도 법률적으로는 사적인 형사처벌이 허용되지 않고 있습니다. 그러나 사적 형사처벌을 허용하지 않는 대신 사적 소추citation directe 즉, 검사가 아닌 시민에 의한 형사재판 절차의 개시를 인정하는 입법례는 많이 존재합니다. 예를 들어, 피해자가 국왕이 아닌 한 특정 개인에 대한 범죄자를 소추하는 것은 공적인 업무가 아니라는 인식이 자리잡고 있던 과거 잉글랜드에서는 범죄 피해자와 가족들이 자신들의 비용으로 사선 변호사를 고용해서 가해자를 상대로 형사절차를 개시할 수 있는 권한이 인정되어 왔습니다. 그러다가 1829년에 이르러서야 Metropolitan Police Act 1829라는 명칭의 법제정을 통해 경찰이 범죄자에 대한 소추 업무를 개시하기 시작했던 것입니다. 프랑스의 경우 중범죄가 아닌 범죄에 대해서 피해자가 범죄의 증거를 확보하고 있는 것을 전제로 사적 소추를 인정하고 있습니다.[5] 그 밖에도 비록 검사에 의한 공적 소추로 일원화되어 가면서 사적 소추의 활용도가 낮아지는 경향을 보이고 있기는 하지만 다수의 영미법계 국가에서 여전히 사적 소추가 인정되고 있습니다.

이와 같이 범죄에 대한 형사처벌과 관련하여 다양한 제도가 존재하는 이유는 범죄라는 행위로 사회 질서가 무너지지 않도록 형사문제를 가장 원만하게 해결할 수 있는 적절한 형사처벌 절차를 만들어내기 위한 노력이 각 나라별로 계속해서 이루어져 왔기 때문일 것입니다. 그리고 이러한 절차는 스스로를 사회적 동물이라고 칭하는 인간이 조화롭게 공존하기 위한 최선의 규칙이라고 부를 수 있을 것입니다.

생래적 범죄인

     범죄는 기본적으로 다른 인간에게 피해를 초래하는 특성을 가지고 있고, 그렇기 때문에 피해자가 가지게 되는 응보감정을 충족시키기 위한 형사처벌 등 다양한 제재가 인류 초기부터 모색되어 왔습니다. 이렇듯 범죄로 인한 불이익은 항상 주어져 왔음에도 불구하고 왜 인간은 범죄를 저지르게 되는 것일까요? 이러한 질문에 대한 답으로 유전적 형질을 드는 경우도 있었는데, 그러한 주장을 한 대표적인 학자는 바로 범죄학의 창시자로 불리는 롬브로조Cesare Lombroso였습니다. 롬브로조는 1870년 12월 강도 빌렐라vilella의 두개골 특징을 분석한 경험에 기초하여 범죄인들은 특정한 유전적 형질을 가지고 있고 그러한 형질은 유인원에서 인간으로 갓 진화한 원시인류와 유사한 신체적 특징으로 발현된다고 주장하였습니다. 바꿔 말하면 진화가 덜 된 듯한 외모를 가진 사람은 태어날 때부터 범죄인으로 정해져 있다는 주장입니다.

그가 묘사한 범죄인의 외형적 특징은 크고 돌출된 턱, 돌출된 광대뼈, 크고 비대칭인 얼굴, 눈꺼풀이 늘어져 작고 매서운 눈, 크고 벌어진 치아, 심하게 주름진 피부, 여성의 경우 짙은 머리숱, 남성의 경우 적은 머리숱, 지나치게 긴 팔 등이 있습니다.[6] 롬브로조의 이러한 생래적 범죄인 delinquente nato 이론은 이제 학설사적인 의미 밖에 찾을 수 없습니다.

한편, 최근 활발하게 이루어지고 있는 인간 유전자에 대한 연구 결과를 토대로 부모로부터 대를 이어 물려받은 유전자의 조합이 생각보다 광범위하게 인간의 행동을 무의식적으로 지배한다는 견해도 나오고 있습니다.[7] 취미나 기호에 영향을 미치는 유전자가 존재해서 그 유전자를 물려받은 사람은 그에 따른 취미나 기호를 갖기 쉽다는 것입니다. 예를 들어, 혀에 있는 미각 수용체의 민감도에 영향을 미치는 특정 유전자를 타고난 사람은 커피의 쓴맛을 덜 느끼게 되어 결국 커피 애호가가 되기 쉽다는 식입니다. 이와 같은 유전자가 인간의 오감에 미치는 영향을 통해 커피 애호가가 될 것인지 아니면 차 애호가가 될 것인지를 결정하기도 하고, 단체 운동을 좋아하게 만들지 아니면 개인 운동을 좋아하게 만들지도 결정할 수 있게 된다는 것입니다. 이와 같이 유전자가 인간의 행동에 미치는 영향이 생각 이상으로 클 수 있다는 점을 고려한다면 범죄에 대해서도 유전자의 영향이 생각보다 클 수 있을지도 모르겠습니다.

　그러나 유전자 연구자들도 유전자가 인간의 뇌 형성에도 관여하여 인간이 생각하고 세상과 상호 소통하는데 영향을 준다고 하여 유전자가 인간의 행동 그 자체나 나아가 인간의 운명을 결정하는 것은 아니라고 판단하고 있습니다. 동일한 유전자를 가진 인간이라고 하더라도 그러한 유전자가 인간 행동이나 운명을 결정하는 유일하고 절대적인 요인이 될 수 있는 것은 아니고 인간이 처한 환경에 따라 그러한 유전자가 발현해서 인간의 행동이나 운명에 영향을 미칠 수도 있고 그렇지 않을 수도 있다는 것입니다. 이에 따르면 결국 태어나기도 전부터 이미 범죄인으로 결정되어 있다는 생래적 범죄인 이론은 여전히 과학적 근거를 찾기 어렵다고 하겠습니다. 다만, 이 책의 제2부에서는 생래적 범죄인 이론과 같이 특정 유전자가 발현되면 범죄자가 된다는 식의 특정 유전자의 특성과 범죄의 관련성을 찾는 관점이 아니라 유전자 정보를 보유하면서 이를 다음 세대에 물려주는 역할을 하도록 설계된 생명체로서의 일반적인 특성과 범죄의 관련성에 대해 자세히 살펴보도록 하겠습니다.

죄형법정주의

　　콜럼버스의 달걀 같은 이야기이지만 형사처벌을 피할 수 있는 가장 확실한 방법은 범죄를 저지르지 않는 것입니다. 그러나 때로는 여러 가지 악조건이 결합해서 범죄를 저지르게 되거나 아니면 실제로 범죄를 저지르지 않았음에도 범죄를 저지른 것으로 오해를 받아 수사와 재판까지 받게 되는 경우도 있습니다. 그렇다면 이런 상황에서 형사처벌을 피할 수 있는 방법이 있는지 그리고 만일 있다면 그러한 요건이 구체적으로 무엇인지는 중요한 의미를 가지게 됩니다.

　　이를 위해서는 먼저 형사처벌이 어떠한 원칙에 따라 이루어지는 것인지에 대한 이해가 필요합니다. 대한민국 헌법 제12조 제1항은 모든 국민은 법률과 적법한 절차에 의하지 아니하고는 처벌받지 않는다고 규정하고 있고, 제13조 제1항은 모든 국민은 행위시의 법률에 의하여 범죄를 구성하지 않는 행위로 소추되지 않는다고 규정하고 있는데 이러한 규정은 죄형법정주의를 헌법상의 원칙으로 명문화한 것으로 이해되고 있습니다.[8]

우리 형법상 사형, 징역형, 벌금형 등으로 정해진 형사처벌은 국가권력에 의해서 개별 국민의 재산, 자유 나아가 적어도 법문상으로는 생명까지도 박탈될 수 있음을 의미하기 때문에 그러한 강력한 힘이 오남용되지 않도록 하는 제동장치로서의 역할을 하는 것이 바로 죄형법정주의입니다. 죄형법정주의는 영국의 마그나 카르타Magna Carta에 그 역사적 뿌리를 두고 있는 것으로 평가되고 있습니다. 마그나 카르타는 1215년 6월 5일 영국의 존 왕King John of England과 왕권에 대항한 귀족들barons 사이에 체결된 63개 조항으로 이루어진 문서를 가리키는데 왕의 절대권력을 제한하여 법의 지배Rule of Law 원칙 및 배심재판과 영장주의 등 적정절차의 원칙Due process of law의 시원이 된 것으로 평가받고 있습니다. 마그나 카르타의 등장으로 왕이라고 하더라도 더 이상 법 위에 군림하는 존재가 아니라 법에 따라야 하는 시대가 등장하기 시작한 것입니다.

대한민국의 헌법에서 규정하고 있는 죄형법정주의 하에서는 위와 같은 마그나 카르타에서 한 걸음 더 나아가 어떤 행위가 아무리 비도덕적인 것으로 평가받는다고 하더라도 그 행위 이전에 국회가 제정한 법률로써 명확하게 범죄로 규정하여 어떤 행위가 그에 해당하는지와 그에 따라 어떤 처벌을 받게 되는지를 미리 알 수 있지 않았던 이상 형사처벌될 수 없습니다. 또한 범죄를 저지른 것으로 의심받고 있는 상황이라고 하더라도 강제수사 등 국가 공권력을 발동하기 위해서는 형사소송법에서 정한 엄격한 절차와 요건이 준수되어야 하며 유죄 판결을 선고하기 위해서는 검사가 범죄사실에 대한 합리적인 의심이 없는 정도의 증명을 해야 합니다.

검사가 범죄사실에 대한 합리적인 의심의 여지가 없는 정도의 증명을 해야 한다고 할 때 합리적인 의심의 의미에 대해서 대법원은 모든 의문, 불신을 포함하는 것이 아니라 논리와 경험칙에 기하여 요증사실과 양립할 수 없는 사실의 개연성에 대한 합리성 있는 의문을 의미하는 것으로서, 단순히 관념적인 의심이나 추상적인 가능성에 기초한 의심은 합리적 의심에 포함된다고 할 수 없다고 판시한 바 있습니다.[9]

결국 피고인 또는 피고인을 변호하는 변호인이 위 판시와 같이 대법원이 제시한 합리적 의심의 범위에 대한 기준에 따라 형사재판 절차에 검사가 제출한 증거만으로는 범죄성립 요건이 충족되지 않았다는 점에 대한 합리성 있는 의문을 법관이 품도록 만든다면 무죄 판결을 받아낼 수 있게 되는 것입니다.

따라서 수사기관으로부터 어떤 행위가 범죄에 해당한다는 평가를 받게 되어 형사처벌을 피할 수 있는지 여부를 모색하지 않을 수 없다면 기소 절차와 내용이 위와 같은 죄형법정주의 원칙에 위배되는 점은 없는지 여부에 대한 철저한 검토가 그 출발점이 되는 것입니다.

대륙법계와 영미법계

앞서 죄형법정주의의 역사적 뿌리를 영국의 마그나 카르타에서 찾을 수 있다고 말씀드린 바 있습니다. 그러나 영국은 영미법계 전통의 원류가 되는 대표적인 영미법계 국가인 반면 우리나라는 대륙법계에 속해서 법제도에 상당한 차이가 있습니다. 대표적인 예로 영미법계 국가는 불문법 전통에 따라 선례 구속의 원칙이 하급법원이 판결을 내림에 있어 이 원칙에 직접 구속되는 반면 우리나라가 속해 있는 대륙법계 국가들은 성문법주의에 따르고 선례 구속의 원칙의 직접 적용을 받지는 않는다는 점입니다.

형사절차와 관련해서도 영미법계 국가들은 배심원 제도를 도입해서 법조인이 아닌 일반 국민으로 구성된 배심원이 형사재판에 참여해서 직업법관으로부터 독립해서 유무죄의 판단에 해당하는 평결을 내리고 법관이 그 평결에 구속됩니다. 이에 반해 대륙법계 국가들 중 독일과 프랑스 등 일부 국가에서는 참심제를 도입해서 일반 국민인 참심원이 직업법관과 함께 재판부의 일원으로 참여해서 직업법관과 동등한 권한을 가지고 사실문제와 법률문제를 판단하게 하고 있으나 기본적으로는 직업법관에 의한 재판을 원칙으로 하는 전통이 있습니다.

우리나라는 이러한 대륙법계 국가의 전통에 따라 직업법관만에 의해서 형사재판을 관장하게 하다가 2008년부터 국민참여재판제도가 도입되어 일반 국민이 재판절차에 참여할 수 있도록 하는 세계적 추세에 순응하고자 하는 노력을 기울이고 있습니다. 다만, 우리나라의 국민참여재판은 합의부 관할사건을 대상으로 하고 피고인이 국민참여재판을 원하는 경우에만 국민참여재판 진행이 가능하고 피고인이 국민참여재판을 원하더라도 재판부가 당해 사건이 국민참여재판으로 진행하기에 적당하지 않다고 판단할 경우 참여재판이 진행되지 않을 수 있도록 하는 등 제한적으로만 인정되고 있습니다. 또한 국민참여재판에 참여한 배심원의 평결은 국민의 형사재판 참여에 관한 법률 제46조 제4항에 따라 법원을 기속하지 않고 권고적 효력만을 가진다는 점에서 영미법상의 배심제와는 근본적인 차이가 있습니다.[10] 국민참여재판에 의한 판결 선고건수를 보더라도 2017년부터 2021년까지 각각 295건, 180건,

175건, 96건, 84건에 불과해 법원이 처리하는 전체 형사사건 중 차지하는 비율이 미미한 수준에 그치고 있다는 점을 알 수 있습니다.[11]

이러한 현실에 비추어 대륙법계 국가인 우리나라에서 국민참여재판 제도가 제한적으로나마 도입되었다고 하더라도 그 비중 자체가 적을뿐더러 배심원의 권한 자체가 제한적이라는 점에서 유무죄에 대한 판단 권한이 인정되는 영미법계의 배심제와는 형사절차상 많은 차이가 있을 수밖에 없습니다. 직업법관에게 유무죄의 최종판단 권한을 유보한 우리나라와 같은 대륙법계 국가의 전통에서 보면 법률 문외한이라고 할 수 있는 배심원에게 그 판단 권한을 위임하는 영미법계의 배심제도는 오판의 가능성을 태생적으로 내포한 불안정하고 위험하기까지 한 형사절차로 인식되기 쉽습니다.

그러나 영미법계 국가에서 배심원에 의한 평결 권한을 부여하는 데는 나름의 합리적인 이유가 있습니다. 가장 큰 이유는 재판의 공정성에 대한 의심을 최소화하는 측면에서는 배심제가 직업 법관제에 비해 구조적으로 우월하다는 것입니다. 예를 들어 피고인이 사회 지도층 인사인 경우 직업 법관과의 직간접적인 인간관계로 인하여 피고인에게 유리한 편파적인 판결을 내릴 수 있다는 의심을 살 수 있는데 반해, 불특정 다수의 일반인이 평결 권한을 가지는 배심제의 경우 피고인의 사회적 지위가 평결에 영향을 미치기 어렵다는 것입니다. 물론 이와 같은 가능성을 막기 위해서 우리 형사소송법 제17조 이하에서는 제척, 기피, 회피 제도를 두어 판결의 공정성을 담보하기 위한 제도적 장치를 도입하고 있지만 배심제의 경우 구조적으로 이와 같은 공정성이 담보될 수 있다는 것입니다.

배심제의 약점 오제이 심슨 사건

앞서 배심제의 장점에 대해서 살펴보기는 하였지만 역시 직업 법관이 아닌 법률 문외한에 의한 판단을 허용한다는 배심제의 특성으로 인해서 간혹 치명적인 오판이 일어나기도 합니다. 가장 대표적인 예로 손꼽히는 오제이 심슨O. J. Simpson 사건에 대해서 간단히 살펴보기로 하겠습니다.

1994년 6월 12일 밤 10시 15분경 오제이 심슨의 전처 니콜 심슨Nicole Brown Simpson과 그녀의 남자친구로 알려진 로날드 골드만Ronald Lyle Goldman이 로스앤젤레스 브렌트우드 지역 소재 니콜의 집 뒷문 근처에서 칼에 찔려 사망하였는데, 흑인 미식축구계의 전설인 오제이 심슨이 용의자로 지목되었습니다.[12] 당시 미식축구 스타였던 오제이 심슨이 용의자로 지목된 것 자체로 사건은 초기부터 언론의 집중 조명을 받았고,

오제이 심슨이 기소되어 진행된 형사재판은 세기의 재판으로 불렸습니다.

이 재판 과정에서 밝혀진 사건과 관련한 기초사실 관계를 알리바이, 범행도구, 범행동기의 세 가지 유형별로 정리하면 다음과 같습니다.

첫째, 심슨의 알리바이와 관련하여, 범행시각인 1994년 6월 12일 밤 10:15분경 심슨이 범행현장인 전처 니콜의 집 뒷문에 있었다는 점을 인정할 수 있는 목격자 진술이나 사진 등의 직접적인 증거는 없었습니다. 공교롭게도 심슨은 사건 당일 야간 비행기를 예약해 두었고, 공항까지 자신을 태워줄 리무진 서비스까지 함께 예약해두었기 때문에 이러한 사정을 자신의 알리바이로 주장하였습니다.

그러나 ① 심슨의 집은 니콜의 집이었던 범행현장과 불과 4km 밖에 떨어져 있지 않는 아주 가까운 곳에 있었다는 점, ② 밤 10시 45분에 도착해달라고 요청받은 리무진 기사가 심슨의 집에 요청받은 시각보다 20분 정도 이른 밤 10시 22분경 도착했을 때 심슨의 차가 주차되어 있지 않았던 것으로 기억하고 있었다는 점, ③ 리무진 기사가 밤 10시 45분부터 인터폰을 눌렀으나 아무런 반응이 없다가 밤 10시 56분이 되어서야 비로소 심슨이 인터폰으로 응답하면서 잠이 들었다가 샤워를 하느라 응답이 늦었다고 답변했다는 점, ④ 범행 현장 및 심슨의 차에서 동일한 족적의 피묻은 심슨의 구두 발자국이 발견되었다는 점, ⑤ 사건 당일 밤 10시 50분 심슨의 차가 심슨과 니콜의 집 중간 지점인 교차로에서 목격되었다는 점, ⑥ 리무진 기사가 심슨이 인터폰으로 응답하지 않는다는 점을 사장에게 보고한 밤 10시 55분 경 키 6 피트, 몸무게 200 파운드 정도로 보이는 심슨과 유사한 체구의 흑인이 심슨의 집 입구 방향으로 가는 것을 목격했다는 점 등이 재판 과정에서 법정 증언 등을 통해 확인되었습니다.

이러한 사실관계에 비추어 심슨은 미리 살인을 계획하고 있었고 자신의 범행 알리바이를 만들기 위해서 야간 비행기과 리무진까지 예약해 두었으나 예상보다 범행에 많은 시간이 소요되어 계획에 차질이 생긴 것이라는 판단이 가능합니다.

둘째, 범행도구와 관련하여, 재판 절차에서 부검의는 니콜과 로날드는 한쪽 날 칼에 찔려 사망한 것으로 증언했고, 심슨에게 살인 사건 5주 전 15인치짜리 한쪽 날 칼을 판매했다는 판매상의 증언도 있었습니다. 또한 범인이 범행 당시 착용한 것으로 추정되는 검정색 장갑의 오른쪽 한 짝이 심슨의 집에서 발견되었고, 왼쪽 한 짝은 범행 현장인 니콜의 집에서 발견되었는데, 오른쪽 한 짝에 묻어 있던 혈흔에 대한 DNA 테스트 결과 심슨 및 피해자 2명의 DNA와 일치할 확률이 매우 높은 것으로 나타났습니다.

그런데 재판 과정에서 심슨의 유죄를 입증하기 위한 검사의 요구에 따라 피고인 심슨은 배심원들 앞에서 증거로 제출된 범행도구였던 장갑을 껴보려고 시도했으나 심슨의 손에 비해 장갑의 크기가 작아서 제대로 들어가지 않았다는 사실이 배심원들에게 무죄의 심증을 강하게 심어 주게 되었습니다. 하지만 장갑은 범행 당시 피해자들의 피로 범벅이 되었기 때문에 가죽의 수축이 일어나서 범행 당시의 크기보다 작아졌을 뿐만 아니라 평소 관절염약을 복용하던 심슨이 2주전부터 복용을 중단했기 때문에 심슨의 손에 붓기가 생겨 부피가 커졌다는 점까지 복합적으로 작용하여 장갑이 심슨의 손에 들어갈 수가 없었던 사정이 존재하였습니다.

셋째, 범행 동기와 관련하여, 부검 결과 피해자들은 목, 머리, 가슴 등 급소를 칼에 찔리는 잔인한 방법으로 살해된 것으로 확인되었습니다. 이와 같이 살해 방법이 잔인한 경우 분노, 치정 등 강한 감정적 동기로 인해 범행이 이루어지는 경우가 일반적입니다.

심슨은 니콜과의 결혼식에서조차 니콜을 인생의 동반자가 아니라 자신의 소유물로 인식하는 듯한 발언을 한 바 있을 뿐만 아니라 니콜과의 결혼 생활 동안 가정 폭력으로 여러 차례 경찰의 조사를 받았던 전력이 있으며 이혼 후에도 니콜에 대한 병적인 집착은 계속되어 니콜을 스토킹하면서 피해자들을 위협해왔던 사정들이 재판 과정에서 증언을 통해 확인되었습니다.

이에 대해 심슨은 니콜에 대한 집착과 관련한 범행 동기를 부인하기 위해서 범행 당시 이미 새로운 여자친구 폴라Paula Barbieri와 좋은 관계를 유지하고 있었다고 주장하였으나 실제로는 원만한 관계가 유지되지 않았고, 범행 당일 폴라가 이미 다른 도시로 갑자기 떠나 심슨이 전화 연락을 하였으나 통화조차 되지 못했던 상황이었습니다.

이와 같은 불리한 사실관계를 기초로 피해자들에 대한 살해 혐의로 기소가 되자 오제이 심슨은 드림팀으로 불린 변호인단을 구성해서 재판에 임했고, 변호인단은 오제이 심슨의 기대에 부응하여 경찰이 제출한 결정적 증거였던 혈흔에서 추출된 DNA 증거가 오염되었다고 배심원을 설득하는 한편, 검사의 의도와 정반대로 범행 당시 착용하였던 장갑이 배심원들 앞에서 심슨의 손에 맞지 않는 상황이 연출되기까지 하는 행운까지 겹쳐 배심원단의 무죄 평결을 이끌어 내었습니다.[13]

만일 동일한 사실관계의 사건이 우리나라에서 발생했다면 설령 DNA 테스트 결과가 위법수집증거 배제법칙에 따라 증거능력이 부정되고, 장갑이 법정에서 피고인의 손에 맞지 않는 상황이 발생하였더라도 검사가 제출한 다른 증거들을 근거로 합리적 의심의 여지가 없는 정도의 증명이 이루어졌다는 판결이 내려졌을 가능성이 높았을 것입니다.

미국 내에서도 위 사건에서 배심원단이 무죄 평결을 내린 것과 관련하여 배심제 자체의 문제점에 대한 다양한 견해들이 쏟아져 나왔고, 형사 무죄 평결이 내려지고 난 후 2년 뒤인 1997년 피해자들의 가족들이 심슨을 상대로 제기한 민사소송에서는 피해자들의 사망에 대한 손해배상책임이 인정되어 피해자들의 가족들에게 33,500,000 달러라는 거액의 배상금을 지급하라는 판결이 선고된 바 있습니다.

직업법관제의 약점 법조비리

　　오제이 심슨 사건을 통해 배심제가 가지고 있는 치명적인 약점을 확인할 수 있지만 그렇다고 해서 우리나라가 채택하고 있는 직업법관제에 약점이 없는 것은 아닙니다. 미국에서 오제이 심슨 사건이 발생한 후 얼마 지나지 않은 1998년 우리나라에서는 사법 사상 최대 스캔들이라고 불렸던 의정부 법조비리 사건이 큰 사회적 파장을 불러 일으켰습니다.

　사건의 개요는 판사 출신인 한 변호사로부터 의정부 지방법원 판사들이 수차례에 걸쳐 무통장입금 등을 통한 방법으로 거액의 돈을 수수했다는 의혹이 제기된 것입니다. 이에 따라 사건진상 조사를 마친 대법원은 의정부지원에 근무하는 법관 전원을 교체하는 전무후무한 인사조치를 단행함은 물론 금품수수 사실이 확인된 판사 5명에 대해 정직, 7명에 대해서는 견책 또는 경고의 징계 처분을 내렸고, 서울지검은 판사 6명에 대해 기소유예 처분을 하면서 사건이 일단락되었습니다.

그러나 1999년에는 다시 건국 이래 최대 법조비리라고 불린 대전 법조비리 사건이 발생하였고, 이 사건의 와중에 고검장의 항명 파동 등 검란이 일어나 국민적 관심을 끌다가 결국 이 사건으로 검사 6명과 판사 2명이 사표를 내게 되었습니다.

2007년에는 이와 같이 끊이지 않는 법조비리를 근절하기 위해 법조윤리협의회까지 출범했지만 2016년 다시 대한민국을 강타한 부산 법조비리 사건이 발생하는 등 법조비리 문제는 완전히 해소되지 못하고 있습니다. 이와 같은 아킬레스 건이 있기 때문에 배심제가 법률 문외한에 의한 판결을 허용하는 아마추어적인 발상이라고 쉽게 폄하하기는 어려워지는 것입니다.

형사소송법 제246조와 제247조에 따라 검사에게 기소독점권과 기소재량권을 부여한 우리나라와 달리, 미국은 일반 시민으로 구성된 대배심Grand jury으로 하여금 기소 여부를 결정하도록 하고 있고, 판결 단계에서는 직업 법관이 아닌 배심원단으로 하여금 유무죄의 평결을 내리도록 하는 배심제를 도입하여 검사와 판사의 권한을 일반 시민에게 분산하고 있습니다. 이러한 제도적 장치를 통해 직업법관제에 비해 법조 비리의 발생 가능성을 현저하게 낮출 수 있는 것입니다. 바로 이점이 오제이 심슨 사건과 같은 약점에도 불구하고 영미법계 국가들이 직업법관제 대신 배심제를 고수할 수 있는 이유가 되는 것입니다.

배심제와 직업법관제 모두 각자의 약점을 가지고 있기 때문에 어느 한 제도가 다른 제도에 비해 절대적인 비교우위에 있는 것은 아니라고 할 수 있습니다. 사법제도는 다른 인간과 함께 살아갈 수밖에 없는 태생적 조건을 가지고 태어난 인간이 자신이 소속된 집단 또는 사회가 붕괴되지 않고 지속적으로 유지될 수 있도록 하는 최소한의 조건을 충족시키기 위한 제도적 장치에 불과한 것이지 절대적 선이나 정의의 달성을 담보하는 제도가 아니라고 이해해야 합니다.

이러한 사법제도의 본질적 특성에 더해서 직업법관제나 배심제 모두 각각의 고유한 약점을 가지고 있기 때문에 각 법제 하의 피고인들은 사법제도의 특성과 약점을 최대한 활용해서 무죄 판결과 같은 자신에게 유리한 결과를 얻기 위해서 노력하게 되는 것입니다.

형사절차의 일반적 특성

　　사람들은 다른 사람들이 자신의 말을 경청해주기를 원하고 그렇지 못한 상황이 되면 실망하고 때론 분노합니다. 그래서 성공하기 위해서는 다른 사람의 말을 경청해주는 사람이 되어야 한다는 이야기도 많이 합니다. 변호사도 당연히 의뢰인의 말을 잘 경청해야 좋은 평가를 받을 수 있습니다. 그러나 형사절차에서는 경찰, 검사, 판사 등 각 절차의 주재자들이 피의자나 피고인들의 말을 항상 경청해줄 것을 기대하기는 어렵습니다. 형사절차의 주재자들은 절차의 공정성을 최우선으로 해서 각 절차가 편파적으로 진행되지 않도록 중립적인 입장을 취해야 한다는 이유를 들기도 하지만 주된 이유는 과중한 업무 부담 등의 사정으로 시간적, 정신적 여유가 부족해지는 경우가 많기 때문입니다.

　　일단 수사 단계에서 피의자의 말은 경찰이 작성하는 제1회

피의자신문조서 작성 과정에서 경찰이 가장 먼저 듣고 이를 문서로 남기게 됩니다. 피의자의 말이 이렇게 문서로 한번 남겨지게 되면 그 후에 절차에 관여하는 검사나 판사 등 절차의 주재자들은 최초에 진술되었던 피의자의 말에 많이 영향을 받게 되기 때문에 나중에 피의자가 자신의 말을 번복하거나 자신의 말이 다른 의미였다고 주장하게 되면 피의자의 말은 신빙성이 없다고 평가될 가능성이 높아집니다.

물론 제1회 피의자신문조서가 가지는 이러한 영향력이 형사사건의 실체적인 진실을 밝히는데 부정적인 영향력을 미치는 것을 막기 위해서 우리 형사소송법 제312조 제3항에 따라 재판절차에서 경찰이 작성한 피의자신문조서의 기재 내용을 사실이라고 인정하지 못하겠다는 의미의 법률용어인 내용부인함으로써 증거로 사용할 수 없게 할 수 있는 권리가 주어집니다. 종래에는 검사가 작성한 피의자신문조서는 내용을 인정하지 못한다고 하더라도 자신이 수사과정에서 말한대로 작성되었다면 증거로 사용되는 것을 막을 수 없었으나 2021년부터 시행된 개정 형사소송법 제312조 제1항에 따르면 검사가 작성한 피의자신문조서 역시 경찰이 작성한 피의자신문조서와 마찬가지로 취급되게 되어 피고인의 권리를 보다 강화하였습니다. 나아가 공소장 일본주의 원칙에 따라 형사재판이 개시되면 검사는 공소장 외에 피의자신문조서를 포함한 일체의 증거를 법원에 제출할 수 없고, 수사기관이 제출하고자 하는 증거에 대한 피고인의 동의 여부를 확인하는 증거 인부절차를 거쳐 피고인이 동의한 증거만 제출할 수 있게 함으로써 피고인의 권리를 보장하고 있습니다.

그러나 이러한 제도적 장치에도 불구하고 최초의 경찰조사 과정에서 유무죄의 방향이 한번 정해지고 나면 그 수사의 흐름을 바꾸는 것은 쉬운 일이 아닙니다. 다음 절차에 관여하는 절차의 주재자들이 원점에서 사건을 검토하기 보다는 문서로 작성된 기존의 수사내용에 의해 선입견을 가지게 되기 쉽기 때문입니다.

이러한 경향은 개인 차원의 의사결정과정과 크게 다르지 않은 것 같습니다. 인간은 순간순간 주어지는 매 상황마다 심사 숙고하여 어떤 의사결정을 내리기 보다는 이전에 형성된 일정한 경향성의 강력한 지배 하에 습관적으로 또는 기계적으로 의사결정을 하게 되는 경우가 많기 때문입니다.

결국 형사절차에서 매 단계마다 늘 새롭게 원점에서 자신의 말을 들어줄 것을 기대하는 것은 인간의 위와 같은 사고 및 행동경향에 비추어 불가능에 가깝습니다. 물론 위와 같은 일반적인 경향과 달리 헌법상의 무죄추정의 원칙에 입각해서 피의자나 피고인의 말을 원점에서 들어주는 경우도 없지는 않겠으나 흔하게 경험할 수 있는 것은 아닙니다. 따라서

되도록 수사절차가 개시되면 처음부터 대응전략을 잘 수립해서 일관된 입장으로 수사절차에 응하는 것이 최선이라고 할 수 있습니다.

형사재판에서 실체적 진실이란

　　국가가 형벌권을 발동하여 범죄자를 수사하고 이를 기초로 형사재판절차를 통해 형벌을 부과하는 근거가 되는 기소 내용이 사실인지 여부를 밝혀야 한다는 요청을 실체적 진실주의라고 부릅니다. 민사소송 재판과정에서 판결을 내리기 위해 법원이 확정한 사실은 이와 달리 형식적 진실이라고 부릅니다. 이와 같이 부르는 이유는 대립하는 당사자인 원고와 피고가 사실이라고 주장하는 근거로 제출하는 증거를 비교해서 보다 믿을 만하다고 판단되는 증거에 기초한 주장을 진실이라고 간주하기 때문입니다. 다시 말해 그러한 주장이 실제로 진실인지 여부를 가리는 것을 목표로 하는 것이 아니라 단순히 증거 우위에 있는 주장을 진실이라고 보겠다는 의미입니다.

　　이에 반해 형사절차에서의 실체적 진실은 민사재판에서의 형식적 진실이 아니라 보다 객관적인 진실을 찾는 것을 목표로 한다는 의미입니다.[19] 형사재판으로 인해 국민의 재산, 자유, 생명이 박탈될 수 있는 중대한 결과가 발생하는 만큼 판결에 보다 신중을 기해야 한다는 요청에 따른 것으로 이해할 수 있습니다. 한편, 여기서 실체적 진실주의는 열 명의 범인을 놓치더라도 단 한 사람의 무고한 사람이 고통을 받으면 안된다는 18세기 영국의 법학자 윌리엄 블랙스톤William Blackstone의 말에 따른 소극적 실체적 진실주의를 의미하는 것으로 무죄추정의 원칙에 입각한 것입니다. 우리 형사소송법 제307조는 이를 범죄사실의 인정은 합리적 의심이 없는 정도의 증명에 이르러야 한다고 표현하고 있습니다.

이와 같은 내용을 종합하면 결국 형사재판에서 찾아내고자 하는 실체적 진실은 민사재판에서 찾고자 하는 진실에 비해서는 진정한 의미의 진실에 한 발 더 다가서는 의미일 수는 있겠으나 실체적 진실이라는 말이 가지고 있는 어감과는 달리 절대적 진실이 될 수는 없습니다. 개개의 모든 형사사건에 대해서 국가의 모든 자원을 투입하여 진실을 밝히고자 한다면 진정한 의미의 실체적 진실을 밝히는 것이 완전히 불가능하지는 않겠으나 개개의 모든 사건에 국가의 모든 자원을 투입하는 것은 현실적으로 가능하지 않기 때문이기도 합니다. 무죄추정의 원칙에 따른 소극적 실체진실주의라는 이론적 뒷받침에 더해서 이러한 현실적 제약까지 존재하기 때문에 형사재판에서의 실체적 진실은 잠정적 진실 또는 타협적 진실이 될 수밖에 없는 것입니다.

형사재판에서 무죄란

2022 범죄백서에 따르면 2016년부터 2021년까지 형사재판에서의 무죄 판결 비율은 3.4%, 3.3%, 3.1%, 2.9%, 2.6%, 3.0%였습니다.[14] 이와 같이 유죄 비율이 압도적으로 높은 이유는 무엇일까요? 피해자의 고소 등 여러 경로를 통해 범죄사건을 인지한 수사기관에서 범죄 성립 여부를 조사하여 유죄를 입증할 수 있는 증거를 충분히 확보하고 법리적으로 범죄 성립에 필요한 모든 요건이 갖추어졌다고 판단한 경우에만 기소가 이루어진다는 점을 그 주된 이유로 볼 수 있을 것입니다.

2022 범죄백서에 따르면 2021년 검찰이 처리한 전체 사건 중에서 기소한 사건의 비율은 56.9%로 비교적 높았지만 2012년부터

2020년까지의 기간 동안에 기소비율은 38.1%에서 41.7% 사이에 불과했다는 점을 고려하면 2021년의 기소 비율은 이례적으로 높은 편이었다고 할 수 있습니다. 이와 같이 전반적으로 기소비율이 낮다는 사실이 시사하는 바는 수사단계에서 유죄를 입증할 증거가 부족하거나 법리적으로 범죄가 성립하기 위한 요건이 충족되지 않은 사건은 형사재판 절차에 들어가기 전에 미리 걸러진다는 것을 의미합니다. 그렇기 때문에 일단 기소된 사건에 대해서 유죄 판결이 내려질 확률이 97%나 되는 것입니다. 물론 그럼에도 불구하고 수사기관의 수사도 사람이 하는 일이다 보니 증거에 대한 판단 또는 법리에 대한 판단을 그르쳐 죄가 되지 않음에도 불구하고 죄가 되는 것으로 잘못 판단하여 기소가 되는 경우도 있습니다. 그렇기 때문에 3%의 무죄 판결 가능성이 생기는 것입니다.

그렇다면 형사재판에서 무죄란 무엇을 의미하는 것일까요? 단순히 피고인이 실제로 범죄를 저지르지 않았다는 의미로 받아들여야 할까요? 꼭 그렇게 보기는 어렵습니다. 아래 판결에서 알 수 있는 바와 같이 형사재판에서 유죄는 검사가 제출한 증거에 비추어 볼 때 피고인이 기소된 범죄를 저질렀다는 점이 합리적 의심을 할 여지가 없을 정도로 증명되었다는 것을 의미합니다.[15] 반대로 말하면 형사재판에서 무죄란

피고인이 기소된 범죄를 저질렀다는 증거가 충분하지 않다는 것을
의미합니다.

형사재판에서 유죄로 인정하기 위한 심증 형성의 정도는 합리적
의심을 할 여지가 없을 정도이어야 한다. 그러나 이는 모든 가능한
의심을 배제할 정도에 이를 것까지 요구하는 것은 아니며, 증명력
있는 것으로 인정되는 증거를 합리적 근거가 없는 의심을 일으켜
배척하는 것도 자유심증주의의 한계를 벗어나는 것으로 허용될 수
없다.[16] 여기에서 말하는 합리적 의심이라 함은 모든 의문, 불신을
포함하는 것이 아니라 논리와 경험칙에 기하여 요증사실과 양립할 수
없는 사실의 개연성에 대한 합리성 있는 의문을 의미하는 것으로서,
피고인에게 유리한 정황을 사실인정과 관련하여 파악한 이성적
추론에 그 근거를 두어야 하는 것이므로 단순히 관념적인 의심이나
추상적인 가능성에 기초한 의심은 합리적 의심에 포함된다고 할 수
없다.[17]

앞서 살펴보았던 심슨 사건에서 심슨에게 무죄 평결이 내려질 수
있었던 가장 근본적인 법적 근거는 바로 이와 같이 유죄 평결을 위해서는

합리적 의심의 여지가 없는 정도의 입증이 필요하다는 것이었습니다. 이 때문에 이 사건은 피고인이 실제로 살인죄를 저지른 것으로 강하게 의심되고, 이를 뒷받침하는 증거도 충분한 것으로 볼 여지가 있었음에도 법적으로는 무죄로 판단된 가장 극단적인 사례라고 할 수 있습니다.[18] 이러한 사례를 통해 알 수 있는 바와 같이 형사재판 절차를 통해 무죄로 판단되었다고 하여 그 판단이 실제로 해당 피고인이 기소된 공소사실 기재 범죄를 범하지 않았다는 것을 의미하거나 담보하는 것은 아닌 것입니다. 이러한 결론은 형사재판에서 말하는 실체적 진실이 절대적 진실을 의미하는 것이 아니라 소극적 실체진실주의에 입각한 잠정적 진실 또는 타협적 진실을 의미한다는 설명과 동전의 양면 관계에 있습니다.

다시 말해서 무죄는 실제로 피고인이 범죄를 저지르지 않았다는 판단이 아니라 피고인이 범죄를 저질렀다고 합리적 의심을 할 여지가 없을 정도로 증명되지 않았다는 것을 의미하는데 불과합니다. 따라서 피고인이 범죄를 저질렀다고 하더라도 증거가 부족하다면 무죄 판결이 나올 수밖에 없습니다. 이러한 결론은 우리나라를 포함한 대륙법계 국가들이나 미국을 포함한 영미법계 국가들에서도 다를 바가 없습니다. 따라서 피고인을 변론해서 무죄 판결을 받는데 성공한다고 하더라도 실제 그 피고인이 기소된 범죄를 저지르지 않았는지 여부를 변호인이 100% 확실하게 알 수는 없다고 해야 할 것입니다. 따라서 이 책에서 소개하는 판례 사안들도 이러한 점을 염두에 두고 보시면 좋겠습니다.

구속 요건

      일단 형사절차가 개시되고 나면 가장 먼저 넘어야 할 큰 산은 구속영장 실질심사라고 할 수 있을 것입니다. 2023년 법무연수원에서 발간한 2022 범죄백서에 따르면 2012년부터 2021년까지 구속율은 1.8%에서 2.1% 사이였는데 구속율이 이와 같이 낮은 이유에 대해서 수사기관이 적법절차 및 엄격한 증거법칙을 준수함과 아울러 불구속수사를 강조하면서 인신구속에 신중을 기하였기 때문으로 분석하고 있습니다.[20] 전체 사건을 기준으로 할 경우 구속율은 낮지만 자신이 당사자가 된 사건에서 구속영장이 청구될 경우 본인과 가족들이 받게 되는 중압감과 스트레스는 매우 클 수밖에 없습니다. 판결이 선고되기도 전에 집이 아닌 유치장이나 교도소 등에 갇힌 상태에서 형사절차를 대비해야 하는 어려움이 있을 뿐만 아니라 일단 구속이 되면 사실상 유죄가 추정되는 것 같은 외관이 만들어지기 때문입니다.

이렇게 중요한 의미를 가지는 구속영장실질심사에서 성공적으로 방어를 할 수 있는지 여부, 즉 구속을 피할 수 있는지 여부는 결국 구속 요건을 충족시키는 사실관계가 존재하는지 여부에 달려 있습니다. 구속 요건을 충족시키는 사실관계가 존재한다면 아무리 유능한 변호사를 선임해서 방어를 한다고 하더라도 구속을 피하기 어려워집니다. 반면에 구속 요건을 충족시키지 못하는 것으로 볼 여지가 있는 사건이라도 이를 충분히 소명하지 못하면 억울하게 구속될 수는 있습니다.

그렇다면 구속 여부를 결정지을 수 있는 이처럼 중요한 구속 요건은 구체적으로 무엇일까요? 범죄 혐의와 구속사유의 두 가지입니다. 우리 형사소송법 제201조 제1항은 이러한 구속요건을 "피의자가 죄를 범하였다고 의심할 만한 상당한 이유가 있고 제70조 제1항 각 호의 1에 해당하는 사유가 있을 때" 피의자를 구속할 수 있다고 규정하고, 형사소송법 제70조 제1항은 다시 구속사유를 "피고인이 일정한 주거가 없는 때", "피고인이 증거를 인멸할 염려가 있는 때", "피고인이 도망하거나 도망할 염려가 있는 때"라고 정하고 있습니다.

한편, 형사소송법 제70조 제2항은 "법원은 제1항의 구속사유를 심사함에 있어 범죄의 중대성, 재범의 위험성, 피해자 및 중요 참고인 등에 대한 위해 우려 등을 고려하여야 한다"고 규정하고 있는데, 이와 같은 형사소송법 제70조 제1항과 제2항의 관계에 대하여 헌법재판소는 다음과 같은 결정을 내린 바 있습니다.[21]

법 제70조 제1항에서는 주거부정, 증거인멸의 우려, 도주우려 등의 구속사유를 규정하고 있는데, 법 제70조 제2항은 여기에 새로운 구속사유를 신설하거나 추가한 것이 아니라, 이러한 구속사유를 심사할 때 고려해야 할 사항을 명시한 것이다. 범죄의 중대성, 재범의 위험성이나 피해자·중요 참고인 등에 대한 위해 우려는 구속사유를 판단함에 있어 고려하여야 할 구체적이고 전형적인 사례를 거시한 것이다.

따라서 구속사유가 없거나 구속의 필요성이 적은데도 이 같은 의무적 고려사항만을 고려하여 구속하는 것은 허용되지 않으며, 반면에 구속사유가 존재한다고 하여 바로 구속이 결정되는 것이 아니라 거기에 더하여 의무적 고려사항인 범죄의 중대성, 재범의 위험성, 중요 참고인 등에 대한 위해 우려를 종합적으로 판단하여 구속 여부를 결정하여야 한다.

비록 위 헌재 결정에서 확인할 수 있는 바와 같이 피의자가 중한 범죄를 저질렀다는 이유만으로 무조건 구속이 될 수 있는 것은 아니지만 중한 범죄를 저지른 경우 실형의 위험성이 높을 수밖에 없고, 그렇기 때문에 증거인멸이나 도주의 우려가 높아진다는 연결고리로 인해서 구속 가능성은 높아질 수밖에 없습니다.

그렇다면 어떻게 구속을 피할 수 있을까요? 모든 법률문제가 그러하듯이 구체적인 사안에 따라서 어떤 구속 요건에 대해서 중점적으로 다투어야 할지는 사건별로 개별적으로 판단할 수밖에 없습니다. 다만, 구속영장이 청구되었으나 영장실질심사에서 기각 결정이 내려진 사례를 통하여 이에 대한 이해를 돕고자 합니다.

만취 뺑소니 사건

지금부터 소개할 구속 영장 기각 사례에서 법원에 제출된 구속영장 청구서에 기재된 범죄사실은 다음과 같았습니다.

피의자는 혈중알코올농도 0.177%의 술에 취한 상태로 운전하다 도로를 건너던 피해자의 좌측 부분을 충돌하고 이어 넘어진 피해자의 다리 부분을 역과하여 구호조치를 요할 정도의 상해가 예상됨에도 불구하고 약 500m가량 도주

위와 같은 범죄 혐의 사실에 따라 성립이 문제되는 범죄는 특정범죄 가중처벌 등에 관한 법률 제5조의 3 위반죄인데 일명 음주 뺑소니 범죄입니다. 당시 피의자는 20대 후반의 젊은 여성으로 전과가 전혀

없었지만 위 사고로 피해자가 전치 4주 이상의 중상해를 입었기 때문에 위 특가법 제5조의 3 제1항 제2호에 따라 법정형이 1년 이상의 유기징역으로 범죄의 중대성이 인정된다고 판단하여 구속영장이 청구되었던 것이었습니다.

구속영장실질심사를 앞둔 상황에서 가장 중요한 선택은 범죄를 인정할 것인지 여부입니다. 범죄 사실을 부인하는 경우에는 증거인멸이나 도주우려가 높다고 판단되어 구속영장이 발부될 가능성이 높아지기 때문입니다. 위 사안에서 피의자는 사고 당시 누군가를 치었다는 기억은 물론 운전을 했다는 기억조차 하지 못했기 때문에 자신이 뺑소니 범죄를 저질렀을 리가 없다는 강한 확신에 차 있었습니다. 그래서 범죄 사실을 부인할 경우 구속영장 발부 가능성이 높아진다는 조언에도 불구하고 범죄사실을 인정하지 않겠다는 의사를 굽히지 않았습니다. 변호인으로서는 본인의 의사에 반해서 범죄를 인정할 수도 없기 때문에 난감해질 수밖에 없습니다.

한편, 위 사안과 같이 피해자가 범죄행위로 인해서 상해를 입은 경우 특히 중요한 고려사항은 피해자와 합의가 이루어졌는지 여부입니다. 다행히 위 사안에서는 구속영장 실질심사 전날 피해자와 합의가 이루어져서 합의서를 제출한 상태에서 실질심사를 받을 수 있었습니다.

그 밖에 주거가 일정하고, 증거인멸이나 도주 우려가 없다는 점에 대한 소명자료는 충실하게 준비하여 영장실질 심사에 임하였으나 범죄 사실을 인정하지 않겠다는 의뢰인의 의사를 바꾸도록 설득하지 못하였다는 점이 계속 마음에 걸린 상태였습니다.

영장실질심사에서 범죄사실을 인정하지 않는다는 변호인의 변론 및 피의자의 진술을 들은 담당 재판부는 예상대로 술에 취해서 당시 상황을 기억하지 못한다는 이유로 범죄사실을 인정하지 못한다는 것을 납득할 수 없다는 입장이었습니다. 변호인이 충분한 법률 조언하지 못했기 때문에 피의자가 범죄사실을 인정하지 않은 것이 아니냐는 질책까지도 나왔습니다. 이처럼 담당 재판부의 성향이나 상황에 따라 변호인이 피의자나 피고인과 동일시되는 경우도 생깁니다.

영장실질심사를 마치고 나면 피의자는 경찰서 유치장 등으로 연행되어 결과가 나올 때까지 대기하게 되는데 이 사건에서 피의자를 동행했던 피의자의 어머니는 피의자가 경찰에 연행되는 모습을 보고 너무나 큰 충격을 받은 나머지 몸을 가누기 힘든 상태에 이를 정도였습니다. 이러한 상황에서는 영장이 기각될 가능성도 있다는 조언만으로 피의자나 가족을 안정시키기 어려운 경우가 대부분입니다. 따라서 영장 발부 여부에 대한 법원의 결정을 확인할 때까지는 피의자 본인 및 가족들은 물론 변호인도

매분 매초가 초조함의 연속일 수밖에 없습니다.

　최근에는 변호인 선임신고서에 기재한 휴대전화번호로 구속영장 실질심사 결과를 문자메시지로 전송해주는 경우도 있으나 공식적으로는 구속영장이 발부된 경우에 한해 영장실질심사 후 며칠이 지나서야 서면으로 변호인에게 통지됩니다. 이러한 사정 때문에 변호사 사무실에서는 최대한 빨리 영장실질심사 결과를 확인하기 위해서 법원 영장계 또는 당직실에 30분이나 1시간에 한번씩 전화를 걸어 영장심사결과가 나왔는지 여부를 확인하고 있는 경우가 많습니다. 이 사건은 사실관계가 복잡하거나 증거가 방대한 사건이 아니었기에 아무리 늦어도 일과 시간 중으로는 결과를 확인할 수 있을 것으로 기대하고 있었으나 그렇지 못했습니다. 밤 12시가 다 되어서야 겨우 구속영장 기각결정을 확인할 수 있었습니다. 영장 발부 여부에 대한 결과를 오랫동안 기다리게 함으로써 피의자에게 다시는 그와 같은 범죄를 저지르지 않도록 깊이 반성할 것을 촉구하는 재판부의 준엄한 질책과 경고가 느껴졌습니다. 이 사건은 다행스럽게도 영장이 기각되었지만 본안재판에서는 유죄가 인정되어 징역형에 대한 집행유예를 선고받았습니다. 이와 같이 영장실질심사라는 고비를 운좋게 넘기더라도 검찰의 기소에 따라 피고인 신분으로 본안재판이라는 더 큰 산을 넘어야 하는 것입니다. 앞서 말씀드린 바와 같이 이와 같이 큰 산을 넘을 수 있는 확률은 3%에 지나지 않습니다. 이하에서는 이와 같이 3%의 확률을 뚫고 무죄 판결을 받은 사례 12건과 그러한 무죄 판결이 나올 수 있었던 다양한 요건들 중 일반화할 수 있는 대표적인 요건만을 추려서 차례로 소개하겠습니다.

옆집 담벼락 철거 사건

　　흔히 접하는 범죄는 아니지만 우리 형법 제370조에서는 경계표를 손괴, 이동 또는 제거하거나 기타 방법으로 토지의 경계를 인식 불능하게 한 자는 3년 이하의 징역 또는 500만 원 이하의 벌금에 처한다는 내용의 경계침범죄를 규정하고 있습니다. 이러한 형법 규정에 따라 경계침범죄는 피고인에게 토지의 경계를 알아보지 못하게 하겠다는 범죄 고의가 있었다는 점과 그러한 범죄 고의에 기초한 범죄 실행행위로 실제로 토지의 경계가 알아보지 못하게 되었다는 범죄 결과가 발생하였다는 점이 모두 인정되어야 성립되는 범죄로 해석됩니다.

　여기서 소개해드릴 사안의 공소장에 기재된 공소사실의 요지는 다음과 같았습니다.

피고인은 60평짜리 창고 2개를 소유하고 있었는데, 예전부터 이웃집인 같은 리에 사는 고소인의 콘크리트 조립식 담이 자신의 땅을 30㎝ 정도 침범하여 설치되어 있다는 것을 알고 있었다.

피고인은 위 토지들 사이의 경계선에 종래부터 설치되어 있던 콘크리트 조립식 담 12m 중 8m 부분을 함부로 헐어버리고 흙으로 덮어 버림으로써 대지의 경계를 알아보지 못하게 하였다.

위 사건에서 피고인이 경계선에 설치되어 있던 옆집 담을 헐었다는 점은 피고인도 인정하고 있는 사실이었습니다. 그러나 피고인이 그러한 행위를 하게 된 이유는 담이 오래되어 언제 허물어질지 모를 정도로 위태로운 상태가 되었고 평소 피고인 본인과 피고인의 아내가 그 담 옆을 자주 지나다녀야 했기에 생명과 신체의 안전을 위해서 그랬다는 것이었습니다. 또한 담을 허물기 전에 옆집 주인 할머니의 동의까지 얻어서 담을 헐었다는 것이 피고인의 주장이었습니다.

하지만 당시 교도소에서 복역 중이던 옆집 주인 할머니의 아들이 출소한 후 이를 문제 삼아 형사 고소까지 하기에 이르자 할머니는 경찰조사에서 동의한 사실이 없다고 진술하였습니다. 그 할머니의 사전 동의 사실을 녹취나 서면을 등 통해 증거로 확보해두지 않았기 때문에 피고인이 담을 허무는 행동을 통해 경계 인식을 불명하게 할 범죄 고의와 범죄 결과 발생이 있었는지 여부만을 다툴 수밖에 없는 상황이었습니다. 피고인의 범죄 고의 여부를 직접 확인할 방법이 없기 때문에 일단 범죄 결과가 발생하면 설령 피고인이 그럴 의사가 없었다고 하더라도 형사절차에서 그러한 피고인의 주장은 변명으로 치부되고 범죄 고의가 있었던 것으로 간주될 가능성이 높습니다. 이 사건도 그러했습니다. 경찰 및 검찰 수사단계에서 수사기관은 경계 인식이 불가능하게 되었다는 범죄 결과가 발생하였다는 점을 전제로 피고인이 경계를 인식 불가능하게 할 의사도 있었다고 보고 기소하였고, 제1심 법원도 마찬가지로 보고 유죄를 인정하였습니다.

그런데 수사기록에는 허물어지기 직전 담의 모습과 담을 허문 후 경계 사진이 첨부되어 있었는데 담을 허문 후 경계 사진에 담이 있었던 흔적이 명확하게 남아있었습니다. 즉, 피고인의 행위로 인한 범죄 결과 발생이 있었다고 볼 수 없었던 것이었습니다. 그러나 제1심에서는 특별한 이유 설명도 없이 경계 인식이 불가능하게 되지도 않았고, 경계 인식을 불능하게 할 고의도 없었다는 주장을 모두 받아들이지 않았습니다. 사진상 명확하게 담의 흔적이 확인되는데도 재판부에서는 경계 인식이 가능하다는 주장까지 배척하여 억울한 상황이었습니다.

항소심에서 범죄 결과가 발생하지 않았다는 점을 강조하면서 이 사건 고소인 진술의 모순 등을 근거로 다시 무죄를 주장한 결과 결국 항소심에서는 다음과 같은 판결이유로 1심 유죄 판결의 파기 및 무죄 판결이 선고되었고,[22] 이 판결에 대해 검사는 상고를 포기하였습니다.

원심이 적법하게 채택하여 조사한 증거들에 의하여 인정되는 다음과 같은 사정들 즉, ① 피고인은 평소 이 사건 담장 옆에 위치한 통행로를 이용하여 왔던 점, ② 이 사건 담장은 아래 사진 상에 나타나는 바와 같이 붕괴 직전의 상태에 있었는 바, 피고인은 그로 인해 안전사고가 발생하는 것을 미연에 방지하기 위해 위 담장의 일부를 허물게 되었던 점, ③ 피고인이 담장을 허문 후에도 남아 있었던 담의 일부와 허물어진 흔적으로 인해 여전히 토지의 경계가 식별 가능하였던 점, ④ 이후 검사는 '피고인이 담장을 헐어버렸을 뿐만 아니라 담장이 있었던 흔적을 흙으로 덮어 버리기까지 하였다'는 고소인의 진술에 기초하여 피고인을 기소하였으나, ⓐ 고소인은 출소한 후에야 이 사건 담장이 허물어진 것을 알게 되었다고 진술하였던 점, ⓑ 고소인은 2013년도에 경찰관을 무고하였다가 실형을 선고받은 전력이 있을 뿐만 아니라 2015년도에는 동료 수감자를 무고하였다가 실형을 선고받은 전력이 있는 점, ⓒ 고소인은 약식명령이 발령된 이후 피고인과 통화하면서 '피고인을 상대로 민사소송을 제기하기 위하여 유죄 판결이 필요하였다'고 말하기도 하였던 점을 감안할 때 피고인이 담장이 있었던 흔적을 흙으로 덮어버렸다는 고소인의 진술을 신뢰하기 어려운 점에 비추어 볼 때 피고인의 행위로 인해 토지의 경계를 인식 불능하게 하는 결과가 발생하였다고 인정하기 어려울 뿐만 아니라 피고인이 담장을 허문 것은 안전사고를 미연에 방지하기 위함이었을 뿐 토지의 경계를 인식 불능하게 하려는 의도 하에 행하여진 것이 아니었다고 봄이 상당하다.

얻어 마신 소주 1잔 사건

　　도로교통법 제44조 제1항은 누구든지 술에 취한 상태에서 자동차등, 노면전차 또는 자전거를 운전하여서는 아니된다고 규정하고 있습니다. 즉, 음주운전에 대한 형사처벌의 근거 규정인 것입니다. 여기서 음주운전은 같은 조 제4항에 따라 혈중알코올농도가 0.03% 이상인 경우를 의미합니다. 음주운전으로 인한 피해의 심각성이 부각되자 음주운전을 근절하기 위해서 2018년 도로교통법 개정을 통해 종래 0.05%였던 기준이 0.03%로 낮아졌습니다. 이에 따라 현재는 혈중 알코올 농도 0.03% 이상인 상태에서 운전하면 형사처벌 대상이 되기 때문에 이제는 소주 1잔이라도 술을 마신 상태에서 운전을 하면 형사처벌을 받을 수 있는 가능성이 높아졌습니다.

　　아래에서 소개할 판례는 위와 같은 법개정 전에 내려진 판결로 운전

당시 피고인이 혈중알코올농도 0.05%였다는 점이 증명되어야 음주운전 유죄 판결이 가능한 상황이었습니다. 공소장에 기재된 공소사실의 요지는 다음과 같았습니다.

피고인은 시장 내 약 500m 구간에서 혈중알코올농도 0.073%의 술에 취한 상태로 무등록 전동운반차를 운전하였다.

위 사안은 피고인이 시장에서 새벽 3시에 시작한 전동운반차 운전을 오전 7시에 마친 후 지인으로부터 소주 1잔을 건네받아 마신 다음 15분 후에 반납하기 위해 다시 전동운반차 운전하다가 지게차와 충돌하면서 음주운전이 발각되었고, 음주측정은 약 한 시간 뒤인 오전 8시 22분이 되어서야 이루어졌다는 점에서 특이한 사정이 있었습니다. 즉, 음주시점과 운전시점의 시간적 간격은 짧은 반면 운전시점과 음주측정시점의 시간적 간격이 길었던 것입니다.

이런 경우 문제되는 것이 흔히 위드마크 공식으로 알려진 음주 후 혈중 알코올 농도가 체내에서 변화하는 추이입니다. 이 공식에 따르면 음주 후 알코올이 체내에 흡수되는데 필요한 시간인 30분 내지 90분 사이에 혈중알코올농도가 최고치에 이르렀다가 그 후 시간당 약 0.008% 내지 0.03%씩 감소하는 것으로 추정하게 되는데, 대법원도 이를 받아들이고

있기 때문입니다.[23]

즉, 위 대법원 판결의 입장을 위 사안에 대입해보면 경찰이 측정한 피고인의 혈중 알코올 농도 0.073%는 음주시로부터 82분 뒤에 측정되어 상승기의 마지막 시점에 측정된 수치인데, 실제 운전을 했던 시점은 음주시로부터 불과 20분 후였으므로 62분 동안 0.023%이상의 혈중 알코올 농도 상승이 있었을 가능성이 높았던 것입니다. 바꿔 말하면 음주시에는 혈중 알코올 농도가 0.05% 미만이었을 가능성이 높았다는 의미입니다.

이러한 내용의 변론에 따라 제1심 법원은 다음과 같은 이유로 무죄를 선고하였고,[24] 검찰은 이에 대해 항소하였으나 항소심 법원이 검찰의 항소를 기각하여 무죄 판결이 확정되었습니다.[25]

피고인이 술을 마신 시각은 07:00 ~07:15이고, 운전을 한 시각은 07:15 ~07:20이므로, 특별한 사정이 없는 한 피고인이 운전할 때는 혈중알코올농도가 상승하는 시점이었다고 봄이 상당하다.

나아가 피고인이 운전을 종료한 때는 술을 마신 후 5분 내지 20분이 경과한 시점이고, 음주측정은 그로부터 1시간이 경과한 후에야 이루어진 점, 위 측정된 혈중알콜농도 수치는 처벌기준치인 0.05%를 약

0.023%초과하는 점, 피고인이 술을 마신 시간은 최장 15분이고 음주량은 소주 1잔에 불과한 점, 경찰이 작성한 주취운전자 정황 진술보고서에는 적발 당시 피고인에 대해 '언행상태: 약간 어눌, 보행상태: 비틀거림, 운전자혈색: 안면홍조'라 기재되어 있으나 위 보고서는 08:22경 음주측정이 이루어진 이후에 작성된 것일 뿐이고, 오히려 당시 사고 현장에 있었던 목격자들은 피고인이 술을 마신 상태였음을 알지 못하였다고 진술하는 점, 이 사건 교통사고의 경위가 매우 이례적이거나 중대한 과실에 의해 야기되었다고 보기 어려운 점 등을 종합하여 보면, 검사가 제출한 증거들만으로는 피고인이 전동운반차를 운전할 당시 혈중알콜농도가 0.05% 이상이었다고 단정하기 어렵고, 달리 이를 인정할 증거가 없다.

수상한 목격자 사건

형법 제366조는 타인의 재물, 문서 또는 전자기록 등 특수매체기록을 손괴 또는 은닉 기타 방법으로 효용을 해하는 행위를 재물 손괴죄로 규정하고 있습니다. 이러한 규정에 근거하여 재물 손괴죄로 기소되었으나 제1심에서 무죄 판결을 받고 검사가 항소를 포기해서 무죄가 확정된 사안을 소개합니다.[26] 이 사건 공소장에 기재된 공소사실은 다음과 같았습니다.

피고인은 빌딩 지하 1층 주차장에서 피해자가 주차구역이 아닌 곳에 오토바이를 주차해 놓았다는 이유로 카터 칼로 위 오토바이 안장을 찢어 수리비 7만 원이 들어가도록 하여 피해자의 오토바이 안장을 손괴하였다.

이 사안에서 피고인이 피해자의 오토바이 안장을 카터 칼로 찢었다는 공소사실에 대한 유일한 증거는 피해자 친구의 범행 현장 목격 진술이었습니다. 수사기록상의 구체적인 참고인 진술 내용을 확인하기 전부터 이러한 목격 진술의 진실성에 의심을 가지게 되었던 이유는 카터칼로 오토바이 안장을 찢는 행위는 극히 짧은 시간 안에 완료될 수 있는데, 피해자의 친구가 새벽 5시 30분이라는 인적이 드문 시간에 공교롭게 범행 현장에 있다가 범행을 목격했을 확률은 매우 낮다는 판단 때문이었습니다. 이러한 의심을 가지고 수사기록에 편철되어 있던 피해자 친구가 작성한 참고인 진술조서의 구체적인 내용을 확인한 후에는 이러한 의심은 피해자 친구가 거짓으로 목격 진술을 꾸며내었다는 확신으로 바뀌게 되었습니다. 이러한 확신에 따라 피고인의 무죄를 주장하면서 피해자와 피해자 친구의 진술이 기재된 조서 전부에 대해서 증거 동의를 거부하였고, 증인 신문기일에 출석한 피해자와 피해자 친구를 상대로 한 증인신문 과정에서 이들의 경찰 진술을 번복하는 증언을 이끌어낼 수 있었습니다. 이러한 변론을 받아들인 제1심 법원은 무죄 판결을 내린 이유를 다음과 같이 밝혔습니다.

이 사건 공소사실을 인정할 증거로는 피해자 및 피해자 친구의 진술이 있다. 이 법원이 적법하게 채택하여 조사한 증거들에 의하여 인정되는 다음과 같은 사정들을 종합하여 보면, 이 사건 공소사실에 부합하는 듯한 피해자 및 피해자 친구의 진술 부분은 이를 그대로 믿기 어렵거나 위 진술만으로는 피고인이 피해자의 오토바이 안장을 손괴하였다는 사실이 합리적인 의심을 할 여지가 없을 정도로 증명되었다고 보기 부족하다.

① 피해자 친구는 수사기관에서 "피고인이 카터 칼로 친구 오토바이 안장을 그으면서 중얼거리고 있더라구요, 그래서 친구한테 전화로 그 사실을 얘기해주고 저는 집으로 들어 갔어요"라고 진술하였으나 이 법정에서는 피고인이 실제 오토바이 안장을 칼로 긋는 모습을 본 것은 아니라는 취지로 진술하였고, 피해자가 그 사실을 바로 전화로 알려준 것이 아니라 그대로 집으로 갔다가 피해자로부터 전화가 와서 그 사실을 이야기해주었다는 취지로 진술하였다. 피해자 친구의 목격 내용 및 당시 정황에 관한 진술이 일관되지 않는다.

② 피해자 친구는 당시 카터 칼을 들고 있는 사람의 옆모습만 보았는데 정확한 얼굴을 기억하지 못하며, 경찰 수사보고와 관련하여 수사기관에서 피고인의 사진을 보여준 사실도 없고, 자신이 수사기관에 "가까이에서 목격하였기에 다른 사람을 피의자로 착각할

수 없다"라고 이야기한 사실도 없다고 진술하였다. 목격 대상 및 당시 정황에 관한 피해자 친구의 진술이 모호하여 피해자 친구가 당시 피고인을 목격하였다고 단정하기 어렵다.

③ 피해자의 진술은 피해자 친구로부터 목격 사실을 전화로 전해 듣고 피고인을 찾아가 항의를 하였다는 것으로 공소사실에 대한 직접적인 증거가 될 수 없을 뿐만 아니라, 진술이 일관되지 않는 부분이 있다. 반면 피해자의 진술에 의하더라도 피해자가 처음 피고인을 찾아갔을 때부터 피고인은 오토바이 안장을 찢은 사실이 없다고 강력하게 범행을 부인하였고, 수사기관에서부터 이 법정에 이르기까지 일관되게 범행을 부인하고 있다.

④ 이 사건 범행의 시각은 피해자 친구가 PC방을 먼저 나선 05:30경으로, 피해자의 항의 과정에서 피고인과 피해자 사이에 발생한 폭행 사건에 관하여는 범행 시각이 05:50경으로 각 특정되어 수사가 이루어졌다. 피해자는 피해자 친구와 통화 후 피고인을 찾아가 항의를 하였다고 진술하였는데, 피고인과 피해자 사이에 통화 시각이 6시 이후로서 이 사건 범행 시각과 차이가 있다.

폐업 사기 사건

2022 범죄백서에 따르면 2020년과 2021년 전체 형법 범죄 중에서 사기죄의 비율은 33%와 32.5%였습니다.[27] 전체 형법범죄 3건 중 대략 1건이 사기죄였다는 의미입니다. 사기죄가 형사 실무에서 가장 비중이 높다는 것은 현실 세계에서 사기행위가 많이 발생한다는 의미이기도 하지만 한편으로는 민사관계에서 금전적 피해를 입게 되면 먼저 사기죄로 형사고소부터 하는 민사의 형사화 현상이 일반화되어 있기 때문이기도 합니다.

아래에서는 용역 대금을 지급하지 못한 피고인이 채무자의 고소로 사기죄로 기소되었다가 제1심에서 무죄 판결이 선고되었고,[28] 이에 검사가 항소하였으나 항소심에서 검사의 항소를 기각하여 무죄가 확정된 사례를 소개합니다.[29] 이 사건 공소장에 기재된 공소사실은 다음과 같았습니다.

피고인은 자동차 검사대행, 탁송 등을 주 업무로 하는 주식회사를 운영하던 중 위 회사의 재정이 나빠져 자본 잠식 상태에 이르고, 상당한 순손실이 발생하였고, 계속하여 그 상태가 나빠지고 있었으며, 위 회사 이외에 다른 재산은 전혀 없어 피해자들에게 탁송용역 업무를 시키더라도 그 용역 대금을 줄 의사나 능력이 없었음에도, 피해자들을 포함한 탁송기사 4명에게 경영난으로 사업을 중단할 것이라고 말한 후, 별도로 피해자들에게만 다음 달에 자금이 돌아올 예정이라고 하면서 용역대금을 이상 없이 지급할 수 있을 것처럼 행세하여 계속해서 탁송업무를 해달라고 하여 피해자 A, B로 하여금 2014년 4월경부터 2014년 6월경까지 렌터카 탁송 용역 업무를 하게 한 다음 용역 대금을 지급하지 아니하여 재산상의 이익을 취득하였다.

법률실무에서 민사의 형사화 경향이 생기게 된 원인 중의 하나로 판례가 기망행위의 고의를 너무 넓게 인정하기 때문이라고 지적하는 견해도 있지만 우리 판례가 사업의 경영 부진으로 채무를 갚지 못하기만 하면 무조건 사기죄가 성립한다고 보는 것은 아닙니다. 오히려 대법원은 "그 차용시점에서 그 사업체가 경영부진의 상태에 있었기 때문에 사정에 따라서는 채무불이행에 이를 수 있다고 예견하고 있었다는 것만으로 곧바로 사기죄의 미필적 고의가 있다고 하는 것은 발생한 결과에 의하여 범죄의 성부를 결정하는 것과 마찬가지이므로 부당"하다고 판시한 바도 있습니다.[30] 이 사안에서도 피고인은 용역대금을 꾸준히 지급한 이체 내역이 있었을 뿐만 아니라 1년 넘게 피해자들과 위탁관계를 유지한 관계로 피해자들이 피고인의 회사 재정상황에 대해 잘 알고 있었다는 사정 등이 객관적으로 인정될 수 있었기 때문에 사기죄의 기망의 고의가 인정되기 어려운 사정이 있었습니다. 따라서 이러한 내용을 집중적으로 부각하는 변론이 이루어졌고 이를 받아들인 제1심 법원이 피고인에게 무죄 판결을 내리면서 그 이유를 다음과 판시하였습니다.

검사 및 피고인이 제출한 다음과 같은 사정들을 종합하여 보면, 제출된 증거만으로는 피고인이 A, B로 하여금 탁송 용역 업무를 하게 할 당시 용역 대금을 편취할 범의가 있었다고 인정하기에 부족하고, 달리 이를 인정할 증거가 없다.

가. 피고인의 회사가 렌터카회사로부터 탁송의뢰를 받으면 A, B가 탁송 업무를 하고, 렌터카회사에서 피고인의 회사로 지급된 용역대금

중 A, B가 80%를 가져가 보험료, 기름값 등에 충당하고, 피고인은 나머지 20%를 가져가 사무실 운영 경비, 직원 인건비 등에 지출한다.

나. 피고인의 회사는 탁송 대행과 검사 대행 업무를 수행하였는데, 검사 대행은 대행 수수료보다 인건비가 더 많이 지출되어 회사 재정 악화의 원인이 되었다. 결국 피고인의 회사의 2013년도 손실이 4,500만 원에 이르렀다.

다. 피고인의 회사는 2013년 5월경 및 6월경부터 이미 적자가 발생하여 2014년경 폐업할 때까지 거의 계속 적자 상태가 이어졌다. 그럼에도 피고인의 회사는 비록 연체가 반복되기는 하였으나 2014년 3월경까지 A, B에게 용역 대금을 모두 지급하였다.

라. 피고인의 회사는 2014년 3월경 이후에도 수회에 걸쳐 A, B에게 용역대금을 일부 지급하였다.

마. 피고인은 2014년 3월경 피해자들을 포함한 탁송기사 4명에게 경영난으로 사업이 어렵다고 말하면서 A, B를 제외한 나머지 기사들을 그만두게 하였고, A, B도 그 사실을 잘 알고 있었다. 나아가 피고인의 회사가 곧 폐업에 이를 것이 예상되는 상황이었다고 볼 자료가 없다.

바. 피고인이 거래처로부터 지급받은 용역대금을 회사 업무와

무관하게 개인적인 용도 등에 사용하였음을 인정할 자료가 없다.
오히려 피고인은 2014년 4월경부터 6월경까지 자신의 돈 1,100여만
원을 피고인의 회사에 입금하였다.

사. 피고인은 2013년 2월경 A, B와 계약을 체결하고 그에 따라
업무관계를 유지하였을 뿐 2014년 4월경 다시 계약을 체결한 것이
아니다.

교통사고 보험사기 사건

전체 형법 범죄에서 대략 3분의 1에 해당하는 큰 비중을 차지하는 사기죄 중에서 보험사기의 비중도 상당합니다. 이러한 보험사기를 막기 위해서 금융감독원은 보험사기 방지 센터를 운영해 오고 있고, 2021년에는 자동차보험사기를 막기 위해서 자동차 손해배상진흥원에서 자동차 공제 보험사기 신고센터를 별도로 개소하였을 정도입니다. 그러나 보험사고인 교통사고 자체가 고의가 아닌 우연에 의해 발생한 것이라면 그러한 사고로 인하여 상해가 발생하였는지 여부와 그 치료를 위한 보험금 청구가 사기에 해당한다고 단정하기는 쉽지 않습니다. 아래에서 소개할 사례가 바로 이런 경우로 피고인이 교통사고로 다치지 않았으므로 치료를 받을 필요가 없었다는 검사의 판단 하에 피고인이 교통사고를 이유로 병원치료를 받고 보험금을 청구하였다는 이유로 사기죄로 기소되었으나 제1심에서 무죄 판결이 선고되었습니다.[31] 이에 대해 검사가 항소하였으나 항소심이 검사의 항소를 기각하여 무죄가 확정되었습니다.[32] 이 사건 공소장에 기재된 공소사실은 다음과 같았습니다.

피고인은 콘크리트믹스 트럭을 운전하여 편도 3차로 중 2차로를 따라 진행하다가 3차로로 진로변경을 하던 중 같은 방향 3차로로 진행하는 승용차와 충돌하는 교통사고가 발생하였음에도 사고를 인식하지 못하고 그대로 현장을 이탈하는 등 위 교통사고로 인해 다친 사실이 전혀 없음에도 불구하고, 같은 해 피해자의 보험회사에 '교통사고로 다쳤다.'라는 취지로 허위의 사고접수를 하고 정형외과에서 통원치료를 받은 후 피해자에게 거짓의 보험금 지급청구를 하여 이에 속은 피해자로부터 합의금, 치료비 명목으로 약 96만 원을 교부받다.

이 사건은 교통사고가 사고 당사자들의 고의 아닌 과실에 의해 발생했다는 사실이 객관적으로 인정되는 상황에서 단순히 사고가 경미하여 피고인이 그러한 교통사고로 다쳤을 리 없다는 의심만 가지고 피고인을 사기죄로 형사처벌하는 것이 타당한지 그리고 우리 법률의 해석상 허용될 수 있는지에 대한 문제 의식을 기초로 무죄를 주장하였고 그 주장이 받아들여진 사안입니다. 위와 같은 공소사실에 대해 제1심 법원은 무죄 판결을 내린 이유를 다음과 같이 판시하였습니다.

위 인정사실에서 알 수 있는 다음과 같은 사정, 즉 피고인에게 실제 위와 같이 교통사고가 발생하였고, 그 후 병원에서 상해 진단을 받아 통원 치료를 받았으며, 상대방 운전자 또한 상해 진단을 받아 통원 치료를 받고 보험금을 지급받았음을 고려하면 피고인에게 상해가 없었다고 단정하기 어려운 점, 피고인이 이 사건 교통사고 직후 사고 발생사실을 몰랐다거나 며칠이 지난 후에 병원 치료를 받은 사실이 있다 하더라도 그것만으로 사고와 상해 사이에 인과관계가 없다고 할 수 없고(피고인은 생업으로 인해 즉시 병원으로 가지 못하였다고 진술하고, 상대방 운전자 또한 피고인과 마찬가지로 나중에 병원을 방문하여 상해 진단을 받은 것으로 보인다), 목 디스크의 기왕증이 있었더라도 위 기왕증이 현재의 상해 발생과 어떠한 관련이 있는지 입증되지 아니하였으며, 설령 기왕증이 있다 하더라도 인과관계가 단절되지는 아니하는 점, 피고인의 치료 내역이 이 사건 교통사고와 유사한 사고에서 통상 예견되는 치료에 비해 과도한 치료를 받았다고 보이지 않고, 건강보험심사평가원의 회신도 피고인의 치료 내역을 적정한 것으로 판단한 점, 피고인은 이 사건 교통사고 후 경찰조사를 받을 때까지 보험금 청구를 하지 아니하였고 경찰 조사를 받으면서 비로소 사고를 접수한 점, 피고인과 이 사건 보험사 사이의 합의금 지급과 관련된 교섭 과정 특별히 보험사를 속이거나 부당한 요구를 한 것으로 보이지는 아니하는 점 등을 종합하여 보면, 피고인이 이 사건 보험사에 상대, 인과관계, 적정 치료내역 등에 관하여 기망하였다고 인정하기 어렵다.

나아가 피보험자가 보험사에 보험금의 지급을 청구할 경우 보험사는 보험사고를 조사하여 보험금의 지급 여부 및 적정 보험금액 등에 관하여 스스로 심사, 판단하여 불필요하거나 과도한 청구금액을 제외하고 보험금을 지급하여야 하고 그로 인한 위험은 보험사가 부담하는 것이므로, 사고 경위를 허위로 진술하거나 불필요함이 명백한 치료를 받는 등 법령, 계약, 신의칙 등에 위반되는 보험금 청구를 하는 경우가 아니라면 피보험자에게 법률적, 의학적 판단에 따른 적정 보험금 청구를 강요할 수는 없다 할 것인데, 검사가 허위임을 지적하는 위와 같은 사정들은 경우에 따라 다른 판단이 가능하고, 그 외 피고인이 이 사건 보험사에 이 사건 교통사고의 발생 경위, 피해 정도, 상해 내용, 치료 내역 등 보험금 지급의 요건이 되는 대부분의 중요한 사정에 관하여 사실과 다르게 진술하거나 은폐한 사정이 보이지 아니하므로, 섣불리 피고인의 기망의 고의를 인정할 수 없다.

따라서 제출된 증거만으로는 피고인의 기망 및 기망의 고의를 인정할 수 없다.

킹크랩 2마리 횡령 사건

2022 범죄백서에 따르면 2020년과 2021년 전체 형법범죄 중에서 횡령죄의 비율은 5.8%와 5.6%였습니다.[33] 전체 형법 범죄에서 차지하는 비중이 사기죄만큼은 아니라고 하더라도 적지 않은 비중에 해당합니다. 횡령죄가 현실에서 많이 문제되는 경우는 단순히 타인의 재물을 위탁받아 보관하는 관계보다는 동업 관계에서 발생하는 경우가 많습니다. 즉, 2인의 동업관계에서 비용을 절반씩 부담하여 취득한 물건은 횡령죄 성립 여부를 판단함에 있어서 완전히 다른 사람의 물건으로 취급됩니다. 이러한 법리에 따라 공유물건을 팔아서 받은 돈을 정산하여 분배하기 전에 동업자의 동의 없이 사용하면 횡령죄가 성립한다고 보는 것이 대법원 판례입니다.[34]

위와 같이 동업자금을 개인적인 용도로 사용하면 횡령죄가 성립하는 것이 원칙입니다. 그러나 사안에 따라서 동업자 간에 동업자금을 개인자금과 엄격히 구분하지 않고 사용하되 추후 정산하기로 하는 명시적 또는 묵시적 약정이 있는 경우라면 불법영득의사가 부정되어 횡령죄가 성립하지 않는 것으로 판단될 여지도 있습니다. 이러한 약정의 존재는 합의서가 각서와 같은 문서 및 동업자금이 피고인뿐만 아니라 동업자도 동업자금을 개인적인 용도로 사용한 사실 등을 통해 인정될 수 있습니다. 이러한 맥락에서 판결이 이루어진 본 사건의 공소사실의 요지는 다음과 같았습니다.

피고인은 피해자와 함께 식당을 동업 운영하면서, 피고인은 1,000만 원을 투자하고 피해자는 800만 원을 투자하되 집기류 등을 마련하기로 하고 위 식당 운영 수익금은 50:50으로 분배하기로 약정하였다.

피고인은 2013년 12월경부터 위 식당의 운영자금 입출금 계좌(이하 '동업계좌'라 한다)로 피고인 명의의 농협계좌를 사용하게 된 것을 기화로 피고인이 개인적으로 사용한 삼성카드 결제대금을 위 동업계좌에서 출금하기로 마음먹고 2013년 9월 16일경 위 동업계좌에서 신용카드 결제대금이 출금되게 하였다. 이로써 피고인은 위 식당 동업자금을 피해자를 위하여 보관하던 중 이를 개인적인 용도로 출금하여 횡령한 것을 비롯하여 그때부터 2015년 2월 16일까지 별지 범죄일람표 기재와 같이 19회에 걸쳐 신용카드 결제대금을 위 동업계좌에서 출금하여 횡령하였다.

위와 같은 공소사실에 대해서 1심 형사재판부는 다음과 같은 이유로 무죄를 선고하였습니다.[35]

피고인은 식당 운영을 위한 피고인 명의의 동업계좌에서 피고인 명의의 삼성카드대금이 결제되도록 하였고, 피고인이 위 신용카드를 식당 운영과 관련이 없는 개인 용도에 사용하였던 사실은 인정된다. 그러나 검사 및 피고인이 제출한 각 증거에 의해 인정되는 다음과 같은 사정들을 종합하여 보면, 제출된 증거들만으로는 피고인이 위 신용카드 결제대금 상당을 피해자의 의사에 반하여 불법영득의 의사로써 소비하였음을 인정하기 어렵고, 달리 이를 인정할 증거가 없다.

(1) 피고인과 피해자는 동업관계를 청산하면서 동업포기각서를

작성하였는데, 위 각서에는 피고인과 피해자가 각자 공동자금에서 개인적으로 사용한 금액을 산정하여 피해자가 피고인에게 지급할 정산금에서 공제하도록 하는 내용이 포함되어 있다.

(2) 피고인이 지출한 신용카드 사용내역 중에는 식당 운영을 위해 지출된 부분이 포함되어 있다.

(3) 피해자는 피고인을 대신하여 동업계좌에 연계된 체크카드를 사용하거나 현금을 인출하여 자금을 집행한 사실을 인정하면서도 개인적인 용도에 사용한 사실은 없다고 진술하였으나, 동업계좌에서 피해자의 동생의 계좌로 돈이 송금되기도 하였고(위 돈이 다시 위 계좌에 입금된 사실이 없음은 피해자 스스로도 인정하였다), 피해자가 식당 운영을 위해 동업 자금을 사용하였음을 인정할 자료도 부족하므로, 피해자도 동업계좌에서 개인 용도로 돈을 사용하였을 수 있고, 따라서 피고인과 피해자가 각자 동업자금 중 일부를 개인 용도로 사용하도록 서로 양해하였을 가능성을 배제할 수 없다.

(4) 피고인이 피해자의 의사에 반하여 동업자금을 사용하려 한다면 장부를 조작하고 현금을 인출하는 등의 방법을 사용하는 것이 용이함에도 굳이 계좌거래내역에 금액이 모두 기재되고 신용카드 사용내역을 조회하면 지출내역이 다 드러남에도 그러한 방법을

사용하였다는 점은 선뜻 이해되지 아니한다. 더군다나 피고인과 피해자는 동업과정에서 정기적으로 정산을 실시할 것을 예정하고 있었으므로(비록 적자를 이유로 정산이 제대로 이루어지지는 아니하였다) 횡령 내역이 쉽게 밝혀질 수 있었다.

(5) 피해자는 피고인과 동업관계가 청산된 때로부터 6개월 이상 경과된 시점에서야 피고인을 횡령으로 고소하였고, 수사기관에서 피고인을 고소하게 된 이유에 관하여 '동업포기 각서에 따라 정산대금을 분할 변제하기로 하였는데 일방적으로 전액 지급을 요구하면서 민사소송을 제기하였고, 연락을 받지 아니하는 등 화가 나서 고소하게 되었다'는 취지로 진술하였다.

(6) 피고인은 수사 단계부터 이 법정에 이르기까지 자신이 개인 용도로 신용카드를 사용한 내역에 관하여 인정하였다.

(7) 피고인 및 피해자의 주장을 뒷받침할 수 있는 영업장부는 현재 확인할 수 없다(피고인 및 피해자는 서로 상대방이 위 장부를 가져갔다고 주장한다).

나. 킹크랩 2마리 횡령

CCTV 영상, 영업장부 촬영 사진에 의하면, 피고인은 식당에서 킹크랩 2마리를 요리한 사실, 위 날짜 영업장부에는 킹크랩 매출에 관한 기재가 없었던 사실이 인정된다.

그러나 위 날짜 기재 내역을 확인할 수 있는 영업장부가 현재 남아 있지 않고, 착오에 의해 장부 기재가 누락되었을 가능성도 있는 점, 현금의 경우 그 다음날 바로 입금되지 아니하였을 수 있는 점, 수사 당시 이미 1년이 지난 시점이어서 피고인의 해명이 쉽지 않은 점 등을 고려하면, 위 인정사실만으로는 피고인이 위 킹크랩(또는 그 판매대금)을 횡령하였음을 인정하기에 부족하고, 달리 이를 인정할 증거가 없다.

술자리 싸움 가담 사건

폭행이나 상해를 처벌하는 규정을 두고 있는 우리 형법의 특별법인 폭력행위 등 처벌에 관한 법률에 따라 이와 같은 범죄가 집단적 또는 상습적으로 이루어지거나 흉기나 위험한 물건을 휴대하여 이루어진 경우에는 형법에 비해 가중 처벌되게 됩니다. 혼자서 또는 흉기를 휴대하지 않고 범죄를 저지르는 경우에 비해서 피해자에게 치명적인 결과가 발생할 가능성이 높아진다는 점에서 그러한 형태의 범죄를 저지르는 경우를 특별히 엄하게 다스리겠다는 경고인 셈입니다. 이러한 경고가 효과를 발휘한 탓인지 2022 범죄백서에 따르면 2021년의 경우 폭행이나 상해죄에서 단독범의 비율이 각각 94.7%와 89.9%로 2명 이상인 경우에 비해서 압도적으로 높은 것으로 집계되었습니다.[36]

이와 같이 무겁게 처벌되는 폭처법상의 공동상해죄가 성립하기 위해서는 공동가공의 의사와 실행행위의 분담이라는 요건이 모두 충족되어야 합니다. 공동가공의 의사는 같이 힘을 합하여 함께 범죄를 저지르겠다는 의도가 있었는지 여부에 관한 것입니다. 한편, "기능적 행위지배"가 있었는지 여부에 대한 법률 판단과 관련되는 실행행위의 분담은 당해 피고인이 범죄에 필요한 실질적인 역할을 맡아 수행하였는지 여부에 관한 것입니다. 이러한 요건의 해석과 관련하여 통상적으로는 공동가공의 의사와 실행행위의 분담이 넓게 인정되는 경우가 많습니다. 다수와 다수의 싸움에 일단 휘말리면 폭처법 위반으로 처벌될 가능성이 높다는 의미입니다. 다만 아래 사건에서는 주변 진술과 CCTV영상 증거 등에 대한 분석을 근거로 한 무죄 변론에 따라 제1심 재판부가 폭처법 위반의 공동상해죄로 기소된 피고인에게 무죄 판결을 선고하였습니다. 이 사건 공소장에 기재된 공소사실은 다음과 같았습니다.

피고인 및 A, B, C는 주점에서 술을 마시던 중 옆 테이블에서 술을 마시던 피해자 D 일행과 시비가 되어 피고인은 피해자 D의 몸을 잡아당기고, A는 피해자들을 향해 맥주잔을 집어 던지고, B는 피해자 D을 주먹으로 때리고, C는 피해자 E를 주먹으로 때렸다.
이로써 피고인 및 A, B, C는 공동하여 피해자 D에게 약 14일간의 치료가 필요한 눈꺼풀 및 눈 주위 타박상을, 피해자 E에게 약 14일간의 치료가 필요한 양측 안구주위부 피하출혈상을 가하였다.

위와 같은 공소사실에 대해 1심 법원이 무죄 판결을 내린 이유는 다음과 같습니다.[37]

검사는 공소사실에서 일행들의 시비 중에 '피고인이 피해자 D의 몸을 잡아당겼다'라고 기소하였으나, 사건 현장을 촬영한 CCTV 영상에 의하면 D가 피고인 측 일행인 A에게 다가가 때리려 하자 옆에 서 있던 피고인이 D의 팔을 잡는 장면이 보이는데, 피고인의 위 행위는 D의 폭행을 말리기 위한 방어행위에 해당할 뿐 D에 대한 폭행으로 평가하기는 어렵다.

D 또한 경찰 조사에서 누구로부터 맞았느냐는 물음에 "당시 정신이 없어 정확히 기억이 안나는데 상대방 남자 중 회색짚업 후드티 팔부분에 흰색 3줄이 있는 남자(피고인이 아닌 B로 보임)가 저를 넘어뜨리고 머리를 붙잡고 때렸습니다. 그러던 중 저는 옆에 있는 상대방의 여자 머리카락을 붙잡았습니다. 그리고 몸싸움이 있었던 것 같은데 정확한 상황을 모르겠습니다. 그리고 누군가 잔 같은 걸

던져서 제 머리에 맞았던 기억도 있습니다"라고 진술할 뿐 피고인에 관하여 언급하지 않았다.

당시 현장에 있던 관련자들의 진술에 의하더라도, G가 경찰 조사에서 "상대편 일행 중 회색 옷 입은 사람도 D를 때리려고 하는 것을 피고인이 말리다가 맞은 것 같습니다. 그렇게 정신없는 상황이 있던 중에 경찰관들이 왔습니다"라고 진술한 외에는 피고인 일행인 A, B, C뿐만 아니라 상대방 일행인 D, E, F의 피의자신문조서에도 피고인의 범행 가담에 관한 진술이 발견되지 않는다.

한편 CCTV 영상을 보면, 피고인은 그 일행이 상대방과 다투는 동안 따로 떨어져 앉아 있는 장면, 휴대전화를 보거나 전화통화를 하는 장면, 밖으로 나갔다가 들어오는 장면, 일행의 폭행을 말리거나 쓰러진 사람들 일으켜 세우는 장면 등이 보이고, 전반적으로 소극적인 태도로 싸움을 관망하며 현장에 있었던 것으로 보인다.

다만 경찰관들이 현장에 출동하여 상황을 수습하던 02:15경 피고인이 상대방에게 달려 들려다 주변 사람들이 피고인을 말리는 장면이 있으나, 피고인의 위 행동을 양측 일행의 싸움이 종료된 후 경찰관에게 진술하는 과정에서 상대방의 태도에 흥분하여 우발적으로 나온 행동일 뿐 종전 공동상해의 연장선상에 있었다거나 다른 공범들과의 의사 연락 하에 있었던 행위라 볼 수도 없다.

이와 같은 여러 사정들을 종합하여 보면, 검사가 제출한 각 증거들만으로는 피고인이 A, B, C와 사이에 D, E, F에 대한 상해에 관하여 공동가공의 의사와 기능적 행위지배를 통한 범죄의 실행사실이 있었음을 인정하기에 부족하고 달리 이를 인정할 증거가 없다.

옷보따리 절도 사건

       절도죄는 2020년과 2021년 전체 형법범죄 중에서 각각 17.2%와 18.2%의 비중을 차지할 만큼 사기죄 다음으로 높은 비중을 차지하는 범죄로 집계되고 있습니다.[38] 또한 절도죄는 그 행위의 본질에 있어서는 동일하게 볼 수 있는 강도죄가 현존하는 가장 오랜 성문법전인 우르남무 법전 제2조에 규정되어 있을 만큼 그 역사가 오래되기도 한 범죄입니다.

  이러한 절도죄는 타인의 재물을 절취의 의사로 가져가는 경우 성립하는 범죄로 구성요건이 단순한 범죄입니다. 따라서 일단 절도죄로 기소되었다면 타인의 재물을 가져갔다는 점에 대한 명확한 증거가 확보되어 있을 가능성이 매우 높고, 일단 타인의 재물을 가져갔다면 절취의 고의가 추정되므로 절도죄로 기소되면 무죄 판결을 받기란 어려울 수밖에 없습니다.

그러나 절취의 대상이 된 물건이 버려진 물건으로 오인할 수 있었던 특별한 사정이 있었다면 결론이 달라질 수 있습니다. 이러한 취지의 변론에 따라 제1심에서 절취의 고의가 인정되기 어렵다는 이유로 절도죄의 무죄 판결이 선고된 사안을 소개합니다.[39] 이 판결에 대해서 검사가 항소하였으나 항소가 기각됨으로써 이 사건 피고인에 대한 무죄가 확정되었습니다.[40] 공소장에 기재된 공소사실의 요지는 다음과 같습니다.

피고인은 처와 함께 트럭을 타고 다니며 폐지나 고물 등을 수집하는 일을 하던 중, 정육점 부근을 지나다가, 위 정육점 출입문 앞에 놓여진 피해자 소유인 200만 원 상당의 겨울 패딩 5벌이 싸여진 보자기를 발견하자, 피고인은 트럭을 세우고 피고인의 처는 트럭에서 내려 위 보따리를 트럭 짐칸에 실은 후 그대로 가버려 피해자의 재물을 절취하였다.

제1심에서 위와 같은 공소사실에 대해 무죄를 선고하면서 제시한 이유는 다음과 같습니다.

① 피고인 및 피고인의 처는 이 사건 장소 부근에서 오랜 기간

고물을 수집하여 왔고 주택이나 가게 앞에 내놓은 폐지나 의류 등이 있을 경우 이를 차에 실어 가져가서 처분하였던 점, ② 피고인이 수거한 의류는 겨울 점퍼들로 노란 보자기에 싸여진 채로 이른 아침 정육점 입구 앞 길거리에 아무런 표시 없이 놓여져 있었던 점, ③ 피고인의 처가 위 의류를 확인하고 차에 싣고 가져갈 때까지 이를 제지하거나 버리는 물건이 아님을 알려준 사람이 없는 점(경찰은 피고인 및 피고인의 처에 대한 피의자 조사를 하면서 사건 당시 목격자가 피고인의 처에게 가져가지 말라고 제지하였다고 말하였으나 증거를 모두 뒤져보아도 당시 목격자가 있었음을 인정할 자료가 없다), ④ 위 의류들은 겨울 동안 입었다가 세탁을 맡기기 위한 것으로 외관상 버리기 위한 헌옷으로 오인할 수도 있었을 것으로 보이는 점, ⑤ 피고인의 처가 위 보따리를 확인하고 차에 실은 후에도 피고인에게 이에 관하여 설명하거나 알려주지는 아니한 점, ⑥ 피고인은 수거한 의류들을 고물상에 가져가 다른 폐지들과 함께 고물로 처분한 점 등을 종합하여 보면, 검사가 제출한 증거들만으로는 피고인에게 절도의 범의가 있었음을 인정하기에 부족하고, 달리 이를 인정할 증거가 없다.

치질수술 의사 명예훼손 사건

형법 제307조 제1항에서는 공연히 사실을 적시하여 사람의 명예를 훼손하는 것을 구성요건으로 하는 사실적시 명예훼손죄를 규정하고 있고, 같은 조 제2항에서는 허위의 사실을 적시하는 경우를 별도의 허위사실 적시 명예훼손죄로 규정하여 법정형이 징역 2년 이하인 사실적시 명예훼손죄보다 훨씬 중한 징역 5년 이하에 처할 수 있도록 규정하고 있습니다.

종래부터 형법 제307조 제1항의 사실적시 명예훼손죄는 표현의 자유를 위축시킬 뿐만 아니라 명예보호에 관한 국제사회의 기준에 부합하지 않는다는 비판이 있어 왔습니다. 최근에는 형법이론적인 관점 및 헌법적인 관점에서 보더라도 이와 같은 진실적시 명예훼손죄가 보호하는 대상이 허명이나 위선에 불과하여 형법적으로 보호할 가치를 인정받기

어렵다는 점 등을 들어 입법론적인 타당성에 의문을 제기하는 견해도 유력하게 주장되고 있습니다.⁴¹

비교법적인 관점에서 보면 미국의 경우 1964년 Garrison v. Louisiana 사건에서 연방대법원이 뉴올리언스 검찰총장이었던 개리슨에 대한 명예훼손죄 유죄 판결의 근거가 되었던 루이지애나 주형법이 위헌이라고 판결한 이후 대부분의 주에서 관련 조항을 폐지하면서 명예훼손이 형사상 범죄가 아닌 민사상 불법행위tort로 다루어지고 있습니다.⁴²

우리나라에서 정보통신망을 이용한 명예훼손 행위는 형법상 명예훼손죄의 특별 규정인 정보통신망 이용촉진 및 정보보호 등에 관한 법률 제70조에 따라 가중처벌됩니다. 이에 따라 인터넷 카페 등 온라인상에서 다른 사람의 명예를 훼손하는 글을 작성하여 게시하는 경우 형법의 특별법인 정통망법 위반죄로 기소되게 됩니다. 아래 사안에서 피고인은 치질수술을 받았으나 상태가 호전되지 않자 시술 담당 의사의 권유에 따라 2차례나 더 수술을 받은 결과 회복할 수 없는 후유증이 남게 되자 해당 의사를 비방하는 내용의 글을 작성하여 인터넷 상에 게시하였습니다. 이러한 사실관계를 전제로 정보통신망 이용촉진 및 정보보호 등에 관한 법률 제70조 제2항 위반으로 기소된 피고인에 대한 공소장 기재 공소사실의 요지는 다음과 같습니다.

피고인은 피해자로부터 치질 수술을 받은 사람으로 위 수술 이후 고통을 수반한 후유증을 겪게 되자 위 병원의 원장이자 수술을 집도한 피해자에게 불만을 가지고 있었다.

피고인은 집에서 인터넷 카페에 접속하여 글을 게재하면서 본문에 마치 피해자가 피고인에게 불필요한 수술을 받게 하거나 다른 환자들에게 폭언·성희롱을 일삼으며 환자의 개인정보를 유출한 것처럼 표현하였다.

그러나 사실 피해자가 피고인에게 불필요한 수술을 받게 하거나 다른 환자들에게 폭언·성희롱을 하거나 환자정보를 유출한 사실이 없다.

이로써 피고인은 피해자를 비방할 목적으로 정보통신망을 통하여 공공연하게 거짓의 사실을 드러낸 것을 비롯하여 별지 범죄일람표와 같이 3회에 걸쳐 위 카페에 피해자를 비방하는 글을 게재함으로써 피해자의 명예를 훼손하였다.

이러한 공소사실에 대하여 피고인이 게시한 글의 내용이 사실이라고 믿을 수밖에 없었던 사정을 집중적으로 부각시키는 내용의 변론이 이루어졌고, 이를 받아들인 제1심 법원에서 피고인에게 무죄를 선고한 이유의 일부를 발췌하여 소개하면 다음과 같습니다.[43]

이 사건 공소사실은 피고인이 게시한 글의 내용 중 1) 피고인으로 하여금 불필요한 수술을 받게 하였고, 2) 환자들에게 욕설, 폭언, 성희롱을 하였으며, 3) 환자정보를 유출하였다는 부분이 허위사실임을 전제로 하고 있으므로 이에 관하여 살펴본다.

가. 불필요한 수술에 관하여

검사 및 피고인이 제출한 증거에 의하면, 피고인은 치질 수술을 받은 후 통증이 계속 사라지지 아니하여 고민하던 중 홈페이지를 통해 피해자로부터 상담을 받은 계기로 위 병원을 찾아가 진료를 받게 된 사실, 피고인은 피해자로부터 치질 수술을 받은 사실, 피고인은 위 수술 후 극심한 통증으로 다시 피해자의 병원을 여러 차례 방문하면서 항생제, 진통제 처방을 받았으나 차도가 없어 다시 수술을 받게 된 사실, 피고인은 그 후에도 고통이 계속되어 피해자으로부터 3차 수술을 받게 된 사실, 피해자는 위 수술 전 피고인에게 수술의 내용 및 발생할 수 있는 후유증 등에 관하여 상세히 설명하지 않은 사실이 인정된다.

위 인정사실에 나타난 여러 사정에다가 의사가 환자에 대해 수술 여부 등 치료 방법을 결정하는 것은 고도의 지식과 경험을 바탕으로 여러 제반 사정들을 모두 고려하여 이루어지는 것이므로 의사가 환자에게 시행한 수술이 반드시 필요하였는지 여부는 쉽게 단정하기 어려운 점을 더하여 보면, 피고인이 피해자로부터 받은 수술이 불필요하였다는 취지의 게시글이 허위 사실이라고 단정하기 어렵다. 나아가 피고인은 과거 치질 수술을 받았으나 완치가 되지 아니한 상태에서 치료 방법을 고민하던 중 피해자의 인터넷 상담과 진찰을 통해 수술을 권유받았고, 이에 수술을 받았으나 원하던 증상의 호전이 없었고 이에 추가 수술을 두 번이나 더 받아 피해자에 대한 불신이 매우 컸던 상태에서 위 글을 게시하였던 사정을 고려하면, 위 글에 관하여 허위에 대한 인식이 있었다고 인정하기도 어렵다.

나. 욕설, 폭언, 성희롱에 대하여

피고인이 제출한 각 증거에 의하면 피고인은 인터넷 까페에 회원들이 올린 피해 사례를 보고 위 글을 작성하였다고 주장하고, 위 카페에는 실제 병원을 이용한 환자들이 게시한 여러 피해 의심 사례들이 게시되어 있던 사실이 인정되고, 이러한 사실에 피해자는 자신의 글을 인터넷 사이트에 게시하면서 피고인에 대한 폭언, 성희롱뿐만 아니라 자신의 병원을 방문한 환자들에 대한 욕설 등 경멸적 표현이나 성적으로 모욕하는 표현을 여러 차례 사용한 점 등을 더하여 보면, 피고인이 게시한 이 부분 표현이 허위 사실이라거나 피고인이 허위 사실에 대한 인식이 있었다고 단정하기 어렵다.

다. 환자정보 유출에 관하여

피고인 제출의 각 증거에 의하면 피해자는 인터넷 네이버 카페에 피고인의 주장에 대해 반박하는 글을 쓰면서 '피고인이 6년 전에 유명한 서울 A에서 항문출혈로 치질수술을 받고 나서 항문, 꼬리뼈쪽, 회음부 측으로 인두불로 지지는 작열감을 동반한 고통스러운 통증증후군이 생겼다. 현재 B병원 C원장에게 진료받으러 다닌다. 피고인이 위 병원에서 D(진통소염제), E(간장약), F(위벽 보호제), G(신경안정제)를 28일분 처방받았다'는 내용을 기재한 사실, '사진 준비 중 기대해라'라는 내용의 글을 기재한 사실(피해자는 이 법정에서 그 후 실제 사진을 게시하였는지는 기억나지 않는다고 진술하였다)을 인정할 수 있고, 이러한 사실들에 비추어 보면 피고인이 작성한 환자 정보유출에 관한 사실이 허위라 볼 수 없다.

라. 소결

따라서 피고인이 피해자에 관하여 작성하여 게시한 공소사실 기재 표현은 허위 사실이고 피고인이 당시 허위 사실 적시에 대한 고의가 있었음이 충분히 입증되었다고 보기 어렵다.

교도소 이발사 모욕 사건

앞서 살펴본 명예훼손죄는 구체적인 사실의 적시를 요건으로 합니다. 그러나 모욕죄에서의 모욕은 이러한 사실의 적시가 없는 단순한 경멸적 감정의 표현을 의미합니다. 한편, 모욕죄가 성립하기 위해서는 피해자가 특정되어야 할 뿐만 아니라, 그 모욕행위가 가해자와 피해자 둘 외의 제3자 앞에서 공연히 이루어져야 합니다. 이와 같은 특정성과 공연성 요건은 비교적 객관적으로 확인이 가능한 요건이라고 하겠으나 문제되는 표현이 피해자의 사회적 평가를 떨어뜨릴 만큼 경멸적인 표현인지 여부에 대한 판단은 판단자의 주관이 강하게 개입될 수밖에 없습니다. 그래서 모욕죄에 대한 판단은 심급에 따라 그 결론이 바뀔 가능성이 높은 편에 속합니다. 아래에서 소개할 사안은 공연성 요건이 충족되지 않은 것으로 판단되었는데, 피고인에 대한 공소장 기재 공소사실의 요지는 다음과 같았습니다.

피고인은 서울중앙지방법원에서 모욕죄 등으로 징역 8월을 선고받은 것 외에 동종 범죄 전력이 3회 더 있고, 서울동부지방법원에서 특수상해죄 등으로 징역 4년을 선고받고, 그 판결이 확정되었다.

피고인은 구치소 1층 복도에서 다른 수용자들이 지켜보고 있는 가운데 피해자에게 "○○○야, 이발 빨리 했으면 들어가 ○○○○야"라고 욕을 하였다.

이로써 피고인은 공연히 피해자를 모욕하였다.

위와 같은 공소사실에 대해서 1심 형사재판부는 무죄를 선고하면서 제시한 이유로 제시한 다음과 같은 이유로 무죄를 선고하였습니다.[44]

피해자는 수사기관 및 법정에서 "구치소 하층 복도에서 이발을 준비하고 있었는데, 피고인이 지나가면서 '○○ ○○○야, 이발 빨리 했으면 들어가 ○○ ○○야'라고 말하였다는 취지로 진술하였다.

그러나 검사 제출의 각 증거에 의해 인정되는 다음과 같은 사정, 즉,

피고인은 검찰조사에서 "정확히 기억나지 않는다. 일상적인 말이었다. 피해자가 먼저 약을 올려 그런 행동을 하지 말라는 의도로 한 것이다"라는 취지로 진술한 점(피고인에 대한 경찰 피의자신문조서는 피고인이 공판기일에서 내용부인의 취지로 부동의함으로써 증거능력을 상실하였다), 피해자는 피고인이 위와 같은 발언을 할 당시 수용자인 A, B, C, D가 이를 들었고 근무 중이던 교도관들도 목격하였다고 진술하였으나, C는 "피고인과 피해자가 사이가 좋지 않다는 사실을 알고 있지만 피해자로부터 이와 관련된 내용을 전해들은 사실은 없다"라고 진술하면서 이 사건과 관련된 진술을 하는 것을 끝내 거부하였고(A, D는 그 구체적인 신원이 확인되지 아니하였다), 교도관은 피고인의 모욕 사실을 목격하거나 들은 사실이 있는지에 관한 질문에 "교대 근무를 한 적은 있으나 그 당시 상황에 대하여 기억이 나지 않습니다"라는 취지로 진술한 점, 교도관근무일지에는 주요사항에 이발이 실시되었다는 취지의 기재는 있으나 피고인의 욕설 등 특이 행동에 관한 기재가 발견되지 않는 점, 피해자는 피고인을 상대로 이 사건 외에 2015. 11. 16. 모욕, 2015. 11. 25. 모욕, 2015. 11. 30. 모욕, 2015. 12. 1. 모욕 사실에 관하여 함께 고소하였으나, 모두 기소되지 아니하였고 본건만 유일하게 기소된 점 등을 고려하여 보면, 피해자의 위 진술만으로는 피고인이 피해자에게 공소사실 기재와 같은 말을 하였음을 인정하기에 부족하고, 피고인이 동종 범죄로 수회 처벌받은 전력이 있다 하더라도 마찬가지이다.

나아가 앞서 본 목격자 및 근무자들의 진술, 피해자의 진술에 나타난 당시 상황 등을 고려하면, 피고인이 공소사실 기재와 같은 말을 하였다 하더라도 불특정다수가 들을 수 있는 상황에 있었음을 인정하기에 부족하므로 검사 제출의 증거들만으로는 공연성이 인정되지 아니한다.

교통 단속 경찰 모욕 사건

앞서 소개한 모욕죄 사안의 경우에는 공연성이 부정되어 무죄가 선고되었음에 반해 아래에서 소개할 사안은 그 표현이 사회적 평가를 떨어뜨릴 만하다고 보이지 않는다는 이유로 무죄가 선고되었습니다. 이 사안에서 피해자는 교통 단속 중인 경찰이었는데, 경찰이 교통단속과 같은 공무를 수행하는 과정에서 동영상을 촬영하여 증거를 수집하는 경우가 많습니다. 따라서 이러한 경찰을 상대로 단순한 모욕을 넘어 폭력을 행사하는 경우 공무집행방해죄가 성립할 수 있습니다. 실제로도 주로 주취 상태에서 경찰을 상대로 폭력을 행사해서 공무집행방해죄나 특수공무방해 나아가 특수공무방해치상 등의 죄로 기소되는 경우가 많이 발생하고 있습니다. 2022 범죄 백서에 따르면 2020년과 2021년 전체 형법범죄 중에서 공무집행 방해죄의 비율은 동일하게 1.1%였는데,

피해자가 공무원으로 한정되는 범죄라는 점을 고려해보면 결코 적은 비중이 아닙니다.[45] 본 사안에서 피고인에 대한 공소장 기재 공소사실의 요지는 다음과 같았습니다.

피고인은 승용차를 운전하던 중 신호를 위반하여 유턴하다가 피해자인 순경 A 및 같은 지구대 경위 B에게 단속되었다. 이때 피고인은 범칙금고지서 발급을 위해 신분증 제시를 요구받자 피해자에게 훈방조치를 해달라고 사정하였고 피해자는 이를 거절하였다.

화가 난 피고인은 위 장소에서 동료 경찰관, 피고인의 아들 및 다수 행인이 보는 가운데 피해자에게 "O O OOO 저리 안꺼져", "넌 빠져 O OOO"라고 큰소리로 욕설하였다.

이로써 피고인은 다수의 행인 등이 지켜보는 가운데 피해자를 공연히 모욕하였다.

위와 같은 공소사실에 대해서 1심 형사재판부는 다음과 같은 이유로 무죄를 선고하였습니다.[46]

피고인 및 A의 각 진술, 촬영 동영상에 의하면 피고인이 차량을 운전하여 불법유턴을 하던 중 현장에 있던 A, B에게 단속된 사실, 피고인은 위반사실의 고지와 함께 운전면허증의 제시를 요구받자 차에서 내려 "좌회전 신호에도 유턴이 가능한 줄 알았다. 한번만 봐달라"는 취지로 부탁한 사실, 피고인은 차량이 정차된 도로가에서 경위 B와 단속의 적절성에 관하여 한참 동안 이야기를 나누었고, A는 그 옆에 서서 카메라로 두 사람의 대화를 촬영하고 있었던 사실, A는 피고인과 B의 대화 중에 "운전면허증부터 제시하시죠", "우리는 계도가 아닌 단속을 하도록 되어 있습니다", "반말하지 마세요" 등의 말을 하면서 끼어들자 피고인이 A에게 "넌 빠져라. 어린 놈이 왜 끼어드냐, 꺼져라. OOO" 등의 말을 한 사실, B가 피고인을 말리자 "나이 어린 사람에게 훈계한 것이다"는 취지로 말한 사실, 당시 피고인, 피고인의 아들, 단속 경찰관 외에 행인은 거의 없었던 사실, 경찰은 피고인이 계속해서 항의하며 신분증을 제시하지 아니하자 피고인을 현행범 체포한 사실이 인정된다.

이러한 사실관계와 함께 인정되는 피고인과 A의 관계, 피고인이 이러한 발언을 하게 된 경위와 발언의 횟수, 발언의 의미와 전체적인 맥락, 발언을 한 장소와 발언 전후의 정황 등을 앞서 본 법리에 따라 살펴보면, 피고인의 공소사실 기재 발언은 상대방을 불쾌하게 할 수 있는 무례하고 저속한 표현이기는 하지만 객관적으로 A의 인격적 가치에 대한 사회적 평가를 저하시킬 만한 모욕적 언사에 해당한다고 보기는 어렵다.

도박장 테이블 좌정 사건

    형법 제246조는 단순도박죄에 대해서 징역형 처벌규정 없이 1천만 원 이하의 벌금형만을 법정형으로 규정하고 있습니다. 이와 같은 처벌 수위를 통해 알 수 있는 바와 같이 단순도박죄는 비교적 경한 범죄로 볼 수 있습니다. 그러나 도박죄는 마약류 범죄와 마찬가지로 중독성이 높다는 점에서 그 위험성이 있습니다. 바로 그러한 위험성 때문에 도박죄 피고인 중에는 동종 전과가 있는 경우가 많습니다. 도박 범죄는 경찰이 비밀도박장에 대한 첩보를 입수하여 현장단속을 하는 과정에서 도박장에 있던 도박 참가자들이 한꺼번에 검거됨으로써 발각되는 경우가 많습니다. 본 사안의 피고인은 바카라 도박장을 급습한 경찰에게 검거되었는데 피고인의 도박 범죄에 대한 증거는 피고인이 도박장 테이블에 앉아 있는 것을 본 다른 도박 범죄자들의 진술이 전부였습니다. 다시 말해서 피고인이 도박에 참가했다는 직접 증거는 없는 사안이었습니다. 피고인에 대한 공소장 기재 공소사실의 요지는 다음과 같았습니다.

피고인 및 A, B, C는 불법 사설도박장에서, 도금을 칩으로 교환한 다음 딜러인 D 등이 트럼프 카드 6세트(총 312장)을 섞어 테이블 위 플레이어와 뱅커 표시가 된 곳에 각 2장씩의 카드를 보이지 않게 엎어 두면, 3만 원에서 30만 원까지 베팅한 다음 카드 한 장씩을 더 나누어 받아 최종적으로 그 카드의 합의 끝자리 숫자가 9 혹은 9에 가까운 수에 베팅한 사람이 승리하여 승리한 사람은 베팅한 금액만큼의 칩을 돌려받고 패한 사람은 베팅한 칩을 잃는 방식으로 일명 바카라 도박을 함께 하였다.

위와 같은 공소사실에 대해서 피고인은 아내가 운영하는 음식점의 외상값을 받기 위해서 도박장에 간 것이지 도박을 하기 위해서 간 것이 아닐 뿐만 아니라 피고인이 도박에 참여했다는 점을 입증할 수 있는 증거가 전혀 없다는 점에 대한 변론이 이루어졌습니다. 이러한 주장을 수긍한 제1심 재판부는 다음과 같은 이유로 피고인에게 무죄를 선고하였습니다.[47] 이 판결에 대해 검사가 불복하여 항소하였으나 항소심이 검사의 항소를 기각하여 무죄가 확정되었습니다.[48]

검사 및 피고인 제출의 각 증거들에 인정되는 다음과 같은 사정들을 종합하여 보면, 검사가 제출한 증거들만으로는 피고인이 당시 바카라 도박을 하였음을 인정하기에 부족하고, 달리 이를 인정할 증거가 없다.

가. 피고인은 단속 현장에서 체포된 후 경찰 조사에서 "김사장을 만나 외상값을 받기 위해 다른 사람을 따라 도박장을 찾아 갔으나 도박을 하지는 않다"는 취지로 진술하였고, 검찰 조사 및 이 법정에 이르기까지 계속 같은 취지로 진술하였다.

나. 도박장에서 딜러 역할을 하였던 D는 경찰 조사를 받으면서, 도박현장에서 체포되었던 34명의 사진 중 당시 도박에 참여하였던 사람들로 피고인의 사진을 지목하였고, 제1회 검찰 조사에서도 같은 취지로 진술하였으나, 제2회 검찰 조사에서 "피고인이 그곳 테이블에 마지막까지 앉아 있었습니다. 그런데 실제로 베팅을 했는지는 확실히 기억이 나지 않습니다. 피고인은 단순히 잠깐 구경만 하고 가는 구경꾼들과는 달리 꽤 오랜 시간 마지막까지 그 테이블에 앉아

있었기에 도박에 참여했다고 생각해 진술하는 것입니다"라고 진술하였고, 이 법정에서 "당시 피고인은 테이블에 앉아 있기는 하였으나 단지 구경만 했을 뿐 게임에 참여하지는 않았다. 경찰 조사를 받으면서 '최종적으로 방에 있었던 사람들을 지목하라'고 하여 피고인을 지목하였다. B와 다른 여성 2명이 게임을 하였던 것은 맞다"라는 취지로 진술하였다.

다. A는 경찰 조사에서 도박현장에서 체포되었던 34명의 사진 중 당시 도박에 참여한 사람들로 피고인의 사진을 지목하였으나, 이 법정에서 "B, C는 기억나나 피고인이 당시 도박을 하였는지는 잘 기억나지 않는다. 당시 참가자가 수시로 바뀌었기 때문에 기억하기 힘들다"라는 취지로 진술하였다.

라. B은 경찰 조사에서 당시 함께 도박을 하였던 사람들로 A, C, E를 지목하였다.

마. F는 경찰 조사에서 체포된 사람들의 사진 중 피고인을 가리켜 "끝방에 들어가 도박을 한 사람인 것 같습니다. 제가 둥글레차를 마시려다 위 사람들이 도박 다이에 앉아 있는 것을 보았습니다"라고 진술하였으나, 이 법정에서 "도박이 이루어진 방에서 피고인이 앉아

있는 것을 보았으나, 피고인이 도박을 하였는지는 보지 못하였다"라고 진술하였다.

바. C는 경찰 조사에서 "닫혀 있는 방에 있던 사람들은 누구인가요"라는 질문에 "A가 있고, 피고인은 오줌 누러 나온 거 같고 C는 긴가민가합니다. 김사장과 얘기하느라 잘 못 보았습니다"라고 진술하였으나, 이 법정에서 "피고인을 본 적이 없다"라는 취지로 진술하였다.

사. E는 검찰 조사에서 피고인을 도박 당사자로 지목하였으나, 이 법정에서 "도박 현장에 있었던 것은 맞으나 워낙 많은 사람들이 오갔기 때문에 피고인이 도박에 참여하였는지는 잘 모르겠다"는 취지로 진술하였다.

플러스 알파 증거

앞서 어떤 경우에 법원이 무죄 판결을 선고하게 되는지에 대한 이해를 돕기 위해 판결문 중 개인정보가 드러날 수 있는 부분을 삭제한 다음 그 일부를 발췌하여 12건의 무죄사례를 소개해드렸습니다. 이러한 사례를 기초로 아래에서는 형사재판에서 무죄 판결을 받기 위해서는 어떤 요건들이 필요한지에 대해서 설명해 드리도록 하겠습니다. 다만, 이 책에서 일반화하고 있는 요건들이 모든 형사사건에 적용될 수 있는 것은 아니고, 개별 사건의 구체적 사실관계에 따라 다른 접근 방법이 필요할 수 있다는 점을 유념하시면 좋겠습니다.

형사재판절차에서 기소된 범죄에 대한 미수범 처벌 규정이 없는 경우 해당 피고인에게 유죄가 인정되기 위해서는 피고인이 해당 범죄를 저지르겠다는 고의를 가졌고, 그 의사에 따른 범죄결과가 발생했다는 점이 모두 인정되어야 합니다. 법률용어로는 전자를 구성요건적 고의라고 하고 후자를 구성요건적 결과발생이라고 하는데 각각 범죄 고의와 범죄 결과 발생을 의미합니다. 이와 달리 미수범 처벌 규정이 있는 범죄의 경우에는 범죄 결과가 발생하지 않았다고 하더라도 형사처벌될 수 있습니다. 예를 들어 미수범 처벌 규정이 있는 살인죄의 경우 피고인이 피해자를 살해할 의사로 가해행위를 하였으나 피해자가 사망하지 않았다고 하더라도 그 피고인은 살인미수죄로 형사처벌될 수 있는 것입니다. 그러나 위태로운 옆집 담벼락 철거 사건에서 기소된 범죄인 경계침범죄는 미수범 처벌 규정이 없는 범죄이기 때문에 경계 인식 불능이라는 범죄 결과가 발생하지 않았다면 설령 경계를 인식하지 못하게 하겠다는 고의를 가지고 담을 무너뜨렸다고 하더라도 형사처벌이 불가능합니다. 이러한 사정 때문에 제1심은 수사기록상 제출된 현장사진에 비추어 범죄 결과발생이 없었음이 명백함에도 불구하고 그와 같은 사실을 인정할 경우 피고인을 전혀 처벌할 수 없게 된다는 생각 때문인지 특별한 이유 설명도 없이 경계침범죄의 범죄 결과 발생을 인정하는 전제에서 피고인에게 유죄 판결을 선고하였습니다.

이와 같이 제1심 법원의 증거판단이 잘못되었다는 점을 논리만을 무기로 제1심 판결을 뒤집는 것도 완전히 불가능한 것은 아니겠으나 제1심 판결에 명백한 오류가 있는 경우가 아니라면 현실적으로 잘 받아들여지지 않을 가능성이 높습니다. 앞서 말씀드린 바와 같이 확률적으로 법관이 처리하는 형사사건 100건 중 97건은 유죄로 결론이 내려지기 때문에 항소심 재판부가 제1심 판결에 오류가 없을 것이라는 선입견을 가지게 될 수도 있기 때문입니다.

이와 같은 이유에서 증거능력이 있고 신빙성이 있는 플러스 알파 증거가 있다면 그러한 증거는 형사재판의 결론을 바꾸는 중요한 역할을 할 수 있습니다. 그러한 증거가 상급심 법원의 선입견을 깰 수 있기 때문입니다. 위 사안에서 검사가 피고인을 기소하고, 제1심 재판부가 피고인의 유죄를 인정했던 이유는 피고인이 담을 무너뜨린 후 담장이 있던 흔적을 피고인이 흙으로 덮어버렸다는 고소인의 진술을 믿었기 때문이었습니다. 하지만 피고인이 담장을 허물 당시 고소인은 교도소에서 복역중이었기 때문에 담장이 없어졌다는 사실조차 알 수 없었습니다. 따라서 피고인에 대한 유죄 판단의 결정적 증거인 고소인의 진술은 명백한 거짓말이었던 것이었습니다.

고소인의 진술이 거짓말이라는 사실은 담장이 허물어진 것을 교도소 출소 이후에 알게 되었다고 한 고소인 본인의 진술이 기재된 진술조서 기재 내용을 통해서도 확인할 수 있었습니다. 수사기관과 제1심 재판부

모두 이런 내용을 간과하고 선입견에 따라 피고인에게 유죄 판결을 내렸다고 짐작할 수 있는 대목입니다.

이런 경우 항소심에서 제1심 법원의 유죄 판결을 뒤집기 위해서는 피고인이 거짓말을 하였다는 점에 대한 강한 인상을 심어줄 효과적인 방법이 필요합니다. 그 방법 중 하나는 고소인에 대한 역고소입니다. 이 사안에서 고소인은 피고인이 담장을 허물었다는 점을 빌미로 돈을 요구하면서 폭행, 협박 등을 일삼아 왔기 때문에 이러한 범죄 행위를 이유로 고소인을 역고소한 결과 항소심 판결 전 벌금 150만 원의 구약식 결정 통지를 받을 수 있었습니다. 따라서 이러한 처분 결과를 증거로 제출함으로써 피고인에 대한 유죄 판결의 결정적 근거가 된 고소인의 진술이 거짓말이었다는 점을 항소심 재판부가 명확하게 인식할 수 있게 되었던 것이었습니다.

항소심 진행 과정에서 이와 같이 고소인의 진술의 신빙성과 관련한 고소인의 범죄행위가 문제되자 검찰은 고소인의 수사기록을 참고자료로 제출하였습니다. 이 자료를 통해 고소인은 다수의 폭력행위 등 처벌에 관한 법률 위반 및 무고죄 전과가 있었고, 상해, 무고, 강요, 협박 등의 범죄 혐의로 수사까지 받고 있다는 사실까지 확인할 수 있었습니다. 이와 같이 검사는 무조건적으로 피고인에게 불리한 소송행위만을 해야 하는 것이 아니라 공익의 대표자로서 피고인의 정당한 이익을 보호하여야 할 객관의무가 있습니다. 이 사안에서는 공판검사가 이러한 의무를 충실하게 이행했고 그 결과 피고인이 무죄 판결을 받는데 큰 도움이 되었습니다.

이와 같이 기대하지 않았던 공판 검사의 협조까지 받을 수 있게 되어서 항소심 재판부의 선입견을 깨뜨릴 수 있었던 것입니다. 따라서 플러스 알파 증거가 있다면 항소심에서 이를 적극적으로 활용해서 재판의 흐름을 바꾸고 항소심 재판부로 하여금 제1심 재판부의 증거판단이 잘못되었음을 인지하게 하여 무죄 판결을 이끌어 수 있습니다.

고의는 없었다

　　피고인의 범죄에 대한 고의는 외부에서 관찰할 방법이 없는 내심의 의사이기 때문에 범죄 결과 발생 여부나 범죄행위 태양 등 간접사실에 비추어 그 인정 여부를 결정하는 것이 형사실무의 일반적 태도입니다. 그렇기 때문에 위태로운 담벼락 철거 사건에서 제1심 재판부는 범죄 결과 발생을 인정하고 그에 따라 피고인의 고의까지 인정하였지만, 항소심은 범죄 기수를 부정하면서 피고인의 범죄 고의까지 함께 부정했습니다. 이와 같은 항소심 재판부의 판단에는 피고인에게 경계 인식을 불가능하게 만들겠다는 고의가 있었다면 충분히 그러한 범죄 결과가 발생했을 것인데, 그러한 결과가 발생하지 않은 것으로 보아 처음부터 그러한 고의는 없었을 것이라는 생각도 이면에서 작용한 것으로 보입니다.

옷보따리 수거 사건에서는 피고인이 옷보따리를 가져간 것은 인정되지만 문밖에 놓여 있었기 때문에 버린 것으로 오인할 수 있는 사정이 있었고, 당시 버리는 물건이 아니라고 알려준 사람이 있었다는 경찰의 주장을 뒷받침할 만한 증거가 제출되지 않았다는 사정까지 있었기 때문에 절도 범죄의 고의가 부정될 수 있었습니다.

피고인의 범죄 고의를 부정할 수 있는 유리한 사실은 구체적인 사안마다 모두 달라질 수밖에 없습니다. 결국 개별 사건마다 피고인에게 범죄 고의가 없었다는 점을 뒷받침할 수 있는 유리한 사실들을 논리적으로 연결하여 재판부를 설득할 수 있는지 여부가 관건인 것입니다.

이에 대한 이해를 돕기 위해서 피고인들의 범죄 고의 인정 여부에 대한 법적 쟁점을 다룬 영화를 하나 소개합니다. 국내에서는 2021년 개봉된 암살자들Assasins이라는 제목의 영화입니다. 이 영화는 2017년 2월 13일 말레이시아 쿠알라룸푸르 공항에서 북한 김정은 위원장의 이복형 김정남 피살사건을 다큐멘터리 형식으로 다루고 있습니다. 각각 인도네시아와 베트남 국적인 두 명의 여성이 이 사건의 범인으로 지목되어 말레이시아에서 체포된 후 살인죄로 기소까지 이루어졌는데 이들은 몰래 카메라 연기를 했을 뿐 자신들의 행위로 사람이 죽을 수 있다는 것을 전혀 알지 못했다는 점 등을 근거로 무죄를 주장했습니다.

하지만 말레이시아 법원은 이들에게 살인의 고의가 인정된다고 보아 유죄 판결을 내렸습니다. 이 판결의 주된 증거는 피고인들이 자신들의 손에 묻혀 두었던 독극물을 김정남의 눈과 얼굴에 바른 다음 손을 씻으러 화장실로 가는 장면이 녹화된 공항 CCTV 영상이었습니다. 말레이시아 법원은 이러한 영상 증거를 근거로 피고인들이 자신들의 행위로 사람이 죽을 수 있다는 점을 미리 알고 있었다고 판단하면서 살인의 고의를 인정한 것이었습니다.

그러나 이 영화는 피고인들을 변호했던 말레이시아 변호사들의 시각에서 피고인들이 이 사건을 실제 계획하고 주도했던 북한 공작원들에게 속아서 몰래 카메라 제작을 위한 연기를 하는 것으로 생각했을 뿐 자신들의 행위로 김정남이 사망할 수 있다는 점을 알지 못했기 때문에 살인의 고의를 인정할 수 없다고 결론내립니다. 객관적으로는 이들의 행위로 김정남의 사망이라는 결과가 발생했지만 이들은 자신의 손에 바른 물질이 독극물이라는 사실조차 몰랐기 때문에 살인의 고의가 인정될 수 없다는 취지입니다. 법리적으로 설명을 하자면 이 사건을 기획하고 주도한 북한 공작원들이 살인죄의 간접정범에 해당하고 살인에 대한 미필적 고의조차 없었던 피고인들은 그저 범죄도구에 지나지 않았다는 것입니다.

살인죄의 고의가 인정되기 위해서는 자신들의 행위로 인해 김정남이 사망할 수 있다는 범죄 결과 발생에 대한 인식 및 그러한 인식에도 불구하고 그러한 결과 발생을 용인하는 의사가 모두 인정되어야 합니다. 이 사안에서 피고인들이 자신들의 손에 바른 물질이 독극물이었다는 사실을 미리 알고 있었는지 여부를 직접 확인할 수 있는 증거는 없었습니다. 변호인들은 피고인들이 범행 후 화장실로 손을 씻으러 가는 과정에서 손을 비비는 장면을 근거로 피고인들이 자신들의 손에 바른 물질이 독극물이었다는 사실을 알았더라면 절대로 하지 않았을 행동이기 때문에 이를 통해 피고인들에게 범죄 결과 발생 가능성에 대한 인식조차 없었음을 알 수 있다고 이야기합니다.

이 영화를 보면 북한 공작원들은 위 여성들에게 위 사건 이전부터 다양한 몰래 카메라를 반복해서 촬영하게 하여 자신들이 살인의 도구로 사용될 수 있다는 의심을 없애려고 했던 사실을 알 수 있습니다. 이러한 사실에 주목한다면 피고인들에게 살인의 고의를 인정하기 어려울 수 있습니다. 하지만 피고인들은 이 사건 당일은 평소와 다른 분위기를 느꼈다고 이야기한 사실에 비추어 정확하게 자신들이 손에 바른 물질이 무엇인지 몰랐다고 하더라도 위험할 수 있다는 생각을 했을 수도 있습니다. 만일 그랬다면 피고인들에게 살인의 고의가 인정되기 위해서 필요한 범죄 결과 발생에 대한 미필적 인식과 그러한 결과 발생에 대한 용인 의사가 있었던 것으로 판단될 수도 있습니다.

이 사건이 우리나라에서 벌어졌다면 우리나라 법원은 이 영화의 결론과 마찬가지로 무죄 판결을 내렸을까요? 그렇게 단정하기는 어렵습니다. 미필적 고의를 인정할 수 있는 다른 정황이나 진술 등이 증거로 제출된다면 유죄 판결이 내려질 수도 있습니다. 법조계에서는 재판절차는 살아 움직이는 생물과 같다고 표현하기도 합니다. 작은 증거 하나에 결론이 달라질 수 있기 때문입니다. 이 때문에 검사와 변호사가 치열하게 증거를 수집하고 수십 수백 페이지에 이르는 서면을 제출하면서 법정 공방을 하고, 판사는 전혀 다른 결론의 판결문을 써서 판결 당일까지 고민을 하기도 하는 것입니다.[49]

우호적 증인

일단 검사가 피의자를 기소하여 형사재판 절차가 개시되면 피의자는 피고인으로 그 신분이 전환됩니다. 이 때 검사는 수사를 통해 확보한 증거를 제외하고 공소장 한 부만을 제1심 재판부에 제출하는 방식으로 기소하게 되는데 이를 공소장 일본주의라고 합니다. 이와 같이 증거를 제외하고 공소장만 제출하는 이유는 법관으로 하여금 유죄라는 선입견을 갖지 않도록 하는 목적 외에도 수사과정에서 수집한 증거가 적법한 절차를 거치지 않았을 가능성도 있다는 점을 고려하여 이에 대한 피고인의 방어권을 보장하기 위한 목적도 있습니다. 이에 따라 제1회 공판기일에서는 수사기관이 수집한 증거를 형사재판에 사용하는데 피고인이 동의할지 여부를 결정하는 절차가 진행되게 됩니다. 이를 증거 인부절차라고 합니다. 만일 피고인이 무죄를 주장한다고 한다면 수사기관이 조서형태로 작성한 피해자 진술조서나 참고인 진술조서 등을 피고인에게 불리한 증거로 사용하는데 동의하지 않게 되는 경우가 많습니다.

특히 2021년 형사소송법 개정에 따라 검사가 작성한 피의자 신문조서도 경찰이 작성한 피의자 신문조서와 마찬가지로 피고인이 그 내용을 인정해야 증거로 사용할 수 있게 됨에 따라 피고인이 무죄를 주장하면서 진술증거에 대해서 증거 부동의를 하게 될 가능성은 더욱 커지게 되었습니다. 앞서 설명드린 바와 같이 2021년 형사소송법 개정 전에는 검사가 작성한 피의자 신문조서는 경찰이 작성한 피의자 신문조서와는 달리 취급되어 피고인이 검사 앞에서 진술한 대로 피의자 신문조서가 작성되었다면 그 내용을 사실로 인정하지 않더라도 자신에게 불리한 증거로 사용되는 것을 막기 어려웠습니다. 그러나 위와 같은 법 개정으로 인해서 검사가 작성한 피의자 신문조서 역시 그 조서에 조서 작성 당시 피고인이 말한 그대로 기재가 되어 있다고 하더라도 그 내용을 인정하지 않는다면 조서를 증거로 사용할 수 없게 된 것입니다. 쉽게 말하면 법 개정 이전에는 검찰 수사단계에서 자백을 받아 조서에 기재해 두면 이를 기초로 피해자 진술조서나 참고인 진술조서에 기재된 목격 진술 등 다른 증거 하나만 확보되면 유죄 판결을 받기 용이하였으나 이제는 검찰 수사단계에서 자백을 받더라도 이제는 이러한 자백이 피고인의 말 한마디로 재판에서 사용될 수 없게 된 것입니다.

다시 본론으로 돌아와서 검사가 피고인의 유죄를 입증하는 증거로 사용하고자 했던 참고인 또는 피해자 진술조서가 무죄를 주장하는 피고인의 부동의로 증거로 사용할 수 없게 될 경우 검사는 해당 조서의 진술 주체를 증인으로 신청하여 증인신문기일에 법정으로 부르게 됩니다. 만일 해당 진술자가 기일에 법정에 출석해서 조서 기재와 같은 내용의 증언을 한다면 검사는 피고인의 증거 부동의에도 불구하고 조서를 증거로 사용할 수 있는 것과 마찬가지 결과를 얻게 됩니다. 그렇게 되면 피고인에게 유죄가 인정될 가능성이 높아집니다.

얻어마신 소주 1잔 사건에서 피고인이 무죄를 주장하였기 때문에 지게차 운전자 등의 참고인 진술조서를 증거로 사용하는데 동의하지 않았고, 이에 따라 검사는 해당 진술자들을 증인으로 신청해서 증인신문이 이루어지게 되었습니다. 그런데 검사의 기대와 달리 증인들은 사고 당시 피고인의 말투가 어눌하거나 혈색이 붉거나 걸음이 비틀거리는 등의 모습을 보지 못했다는 등 피고인에게 유리한 증언을 하였습니다. 이와 같이 증인신문 과정에서 피고인에게 유리한 법정 증언이 나오게 되면 공판검사는 당혹스러워지게 됩니다. 따라서 증인에게 거짓진술을 했다는 점이 확인되면 위증죄로 처벌될 수 있다고 경고하거나 혹은 증인신문 전에 어떠한 형식으로든 피고인과 연락하거나 피고인에게 유리한 진술을 하도록 부탁받은 적이 없는지를 물으면서 증인들을 압박하기도 합니다.

그러나 위 사안에서 증인들은 피고인으로부터 유리한 진술을 해달라는 부탁을 받지도 않았다고 하면서 자신들과 관련하여 피고인이 기소를 당한 것 자체를 안타깝게 생각한 나머지 피고인에게 유리한 증언을 고수하였습니다. 그 결과 피고인은 이러한 우호적인 증인들의 유리한 증언의 도움을 받아 무죄 판결을 받을 수 있었습니다.

이와 같이 형사재판 절차에서 이루어지는 증인신문절차에서 증인들의 증언은 피고인의 유무죄 여부의 판단에 결정적인 영향을 미치는 경우가 적지 않습니다. 따라서 우호적 증인의 유리한 증언은 판결의 유무죄 향방을 결정하는 중요한 요인이 되기도 합니다.

범인식별절차

    범인식별절차란 범행 현장에서 범죄 용의자를 목격한 목격자가 묘사하는 용의자의 인상착의 등에 대한 목격 진술의 신빙성을 인정받기 위해 요구되는 절차를 의미합니다. 이러한 범인식별 절차에 대한 대법원의 입장은 다음과 같습니다.[50]

    용의자의 인상착의 등에 의한 범인식별 절차에서 용의자 한 사람을 단독으로 목격자와 대질시키거나 용의자의 사진 한 장만을 목격자에게 제시하여 범인 여부를 확인하게 하는 것은 사람의 기억력의 한계 및 부정확성과 구체적인 상황 하에서 용의자나 그 사진상의 인물이 범인으로 의심받고 있다는 무의식적 암시를 목격자에게 줄 수 있는 가능성으로 인하여, 그러한 방식에 의한 범인식별 절차에서의 목격자의 진술은, 그 용의자가 종전에 피해자와 안면이 있는 사람이라든가 피해자의 진술 외에도 그 용의자를 범인으로 의심할 만한 다른 정황이 존재한다든가 하는 등의 부가적인 사정이 없는 한 그 신빙성이 낮다고 보아야 하므로, 범인식별 절차에 있어 목격자의 진술의 신빙성을 높게 평가할 수 있게 하려면, 범인의 인상착의 등에 관한 목격자의 진술 내지 묘사를 사전에 상세히 기록화한 다음, 용의자를 포함하여 그와 인상착의가 비슷한 여러 사람을 동시에 목격자와 대면시켜 범인을 지목하도록 하여야 하고, 용의자와 목격자 및 비교대상자들이 상호 사전에 접촉하지 못하도록 하여야 하며, 사후에 증거가치를 평가할 수 있도록 대질 과정과 결과를 문자와 사진 등으로 서면화하는 등의 조치를 취하여야 하고, 사진제시에 의한 범인식별 절차에 있어서도 기본적으로 이러한 원칙에 따라야 한다. 그리고 이러한 원칙은 동영상제시·가두식별 등에 의한 범인식별 절차와 사진제시에 의한 범인식별 절차에서 목격자가 용의자를 범인으로 지목한 후에 이루어지는 동영상제시·가두식별·대면 등에 의한 범인식별 절차에도 적용되어야 한다.

위 대법원 판례는 2006년 부산에서 발생한 9세 여아에 대한 성폭력범죄의 처벌 및 피해자 보호 등에 관한 법률 위반(주거침입 강간 등) 사건에 대한 것입니다. 이 사건에서 피해 아동은 범인의 인상착의에 관해서 "범인의 얼굴은 넓적하고 사각형이고, 흑인만큼은 아니지만 지나가면 표가 날 정도로 얼굴과 팔 등이 검은 편이었으며, 눈은 조금 작고 쌍꺼풀이 있었으며, 눈과 이마에 주름이 있었고, 머리는 짧았으나 단정하지는 않았으며, 옷은 회색 반팔 면티에 긴 청바지를 입고 있었고, 신장은 자신의 어머니(163cm) 정도로 작았으며, 체격은 뚱뚱하고, 나이는 자신의 아버지(42세)보다 많아 보였으며 얼굴에 점은 없었다"고 진술하였습니다.

이 사건을 탐문 수사하던 경찰은 피해 아동의 어머니가 의심한 케이블방송 직원들과 관할 경찰서 관내 성폭력 우범자 총 47명의 주민등록 화상사진을 USB에 저장한 후 피해 아동의 집에서 피해 아동에게 확인하게 하였는데 이 때 피해 아동이 피고인을 범인으로 지목하였습니다.

이러한 피해 아동의 진술을 기초로 경찰은 피고인을 체포하여 범행을 추궁하였으나 피고인은 범행 일체를 부인하였고 피고인을 비디오카메라로 촬영하여 다시 피해 아동에게 확인하게 하여 범인이 맞다는 진술을 확보한 후 같은 날 피고인을 포함하여 평복을 입은 3명을 의자에 동시에

앞힌 상태에서 피해 아동으로 하여금 피해 아동만이 피고인을 볼 수 있는 특수유리를 통해 범인 여부를 확인하게 하여 피고인이 범인이라는 진술까지 확보하였습니다. 검사는 이와 같은 피해 아동의 진술을 토대로 피고인을 기소하여 1심에서는 유죄가 선고되었으나 항소심에서는 피해 아동의 진술이 신빙성이 낮다고 보아 피고인에게 무죄를 선고하였습니다.[51]

항소심 법원이 피해 아동의 진술이 신빙성이 낮다고 본 이유는 다음과 같습니다.

첫째, 피해 아동을 대면한 상태에서의 범인식별절차에서 피해 아동이 피고인을 범인이라고 지목하기 직전에 피고인만의 모습을 촬영한 비디오를 피해 아동에게 보여주고 범인 여부를 확인하게 하였기 때문에 실제 경험과 기억에 기초하여 범인을 지목한 것이 아닐 가능성이 있다.

둘째, 사진 제시에 의한 범인식별절차에서 피해 아동이 지목한 피고인의 사진에는 피해 아동의 진술과 달리 표가 날 정도로 얼굴색이 검은 편이 아니었고, 피해 아동이 범인과 닮았다고만 하였을 뿐 범인이라고 단정하지도 않았으며, 경찰이 사진 중에 범인이 없을 수도 있고, 그 중에서 아무도 고르지 않을 수도 있다는 말을 하지 않아 범인을 지목해야 한다는 압박으로 인해 잘못 지목했을 가능성도 있다.

셋째, 피해 아동은 사건 당일 범인이 회색 반팔 면 티를 입고 있었다고 진술하였는데 47장의 사진 중 회색 옷을 입고 있는 용의자는 피고인을 포함하여 단 2명뿐이었다.

위와 같은 판례의 취지에 비추어 범인식별절차에서 목격자 진술의 신빙성을 인정받기 위해서는 먼저 목격자로부터 범인의 인상에 대한 자세한 진술을 받은 후 여러 명 중에서 범인을 지목하게 하는 절차를 거쳐야 합니다.[52]

수상한 목격자 사건에서는 범인식별절차에 관한 위와 같은 대법원의 입장에 비추어 수사절차에서 목격 진술을 한 피해자의 친구가 범인의 정확한 얼굴을 기억하지 못하고 수사기관에서 피고인의 사진을 보여준 사실도 없다고 법정 증언하였습니다. 따라서 범인식별절차의 요건을 전혀 갖추지 못한 것으로 판단될 수밖에 없었던 것이었습니다. 이러한 사례들에서와 같이 목격자의 목격진술이 유일 또는 핵심 증거가 되어 기소된 사안이라면 범인식별절차에 관한 요건이 갖추어졌는지 여부를 철저히 따져본다면 무죄 판결을 이끌어낼 여지가 생기는 것입니다.

의심스러운 진술

변호사가 형사사건의 변호를 맡게 되면 가장 먼저 하게 되는 일 중 하나는 제1회 공판기일 전에 검찰의 수사기록을 열람 복사하여 범죄사실의 요지와 수사기관이 확보한 증거를 검토하는 것입니다. 수상한 목격자 사건의 경우 CCTV 등의 물적 증거 없이 오직 피해자 친구의 목격진술만이 유일한 증거로 확보되었을 뿐이었습니다. 이와 같이 목격진술이 유일한 증거인 경우 그 진술이 얼마나 믿을 만한지 여부에 따라 유무죄의 결론이 달라질 수 있습니다.

그런데 위 사건에서 목격진술은 의심스러운 점이 많았기에 한사코 범행을 부인하는 피고인의 말을 신뢰할 수 있었습니다. 이런 상황이 되면 재판에서의 방어전략은 간단해집니다. 피해자와 피해자 친구가 경찰에서 작성한 진술조서가 재판의 증거로 사용되는데 동의하지 않는 것입니다. 그러면 공판검사는 피해자와 피해자 친구의 진술을 증거로 확보하기 위해서 이들에 대한 증인신청을 하게 됩니다.

검사의 증인신청을 받은 법원은 소환장을 증인에게 송달하게 되는데 이 경우 형사소송법상 증인을 신청한 자가 증인이 출석하도록 합리적인 노력을 할 의무가 있기 때문에 소환장 송달이 되지 않는 경우 검사가 주소를 보정하거나 증인들에게 직접 전화를 하는 등의 방법으로 출석을 종용하게 됩니다. 수상한 목격자 사건에서 증인이 된 피해자와 피해자 친구는 2차례나 소환에 불응하여 과태료 결정까지 받고 나서야 비로소 증인 신문 기일에 출석하였습니다. 이렇게 검사가 신청한 증인들이 증인신문 소환에 2차례나 불응한다는 것은 피고인에게 긍정적인 신호입니다. 수사기관에서의 진술을 법정에서 반복해서 진술하기 꺼리고 있다는 뜻이기 때문입니다.

피해자 친구의 핵심 진술은 ① "피고인이 카터 칼로 친구 오토바이 안장을 그으면서 중얼거리고 있더라구요"와 ② "그래서 친구한테 전화로 그 사실을 얘기해주고 저는 집으로 들어 갔습니다"의 두 진술이었습니다. 이 중 ①번 진술은 두 가지 이유에서 믿기 어려웠습니다. 첫 번째 이유는 보통 사람들이 범죄를 저지를 때는 자신의 범행을 숨기려는 본능이 있기 때문에 주변에 누가 있는지 없는지를 살피게 되는 것이 일반적이기 때문입니다. 그런데 ①번 진술은 피고인이 범행 당시 주변에 목격자가 있는지 확인조차 하지 않았다는 것이어서 믿기 어려웠습니다. 두 번째 이유는 설령 피해자 친구의 말대로 피고인이 주변을 확인하지도 않고 범행을 했다고 하더라도 피해자 친구가 우연히 범행현장을 목격했을 가능성은 지극히 낮기 때문이었습니다. 카터칼로 오토바이 안장을 긋는데 걸리는 시간은 1초도 걸리지 않을 정도로 단시간 내에 이루어질 수 있고, 범행 시각이 새벽 5시 30분이었다는 점까지 고려하면 그러한 확률은 0에 가깝다고 볼 수 있습니다.

②번 진술 역시 믿기 어렵기는 마찬가지였습니다. 당시 범행 현장은 피해자가 있던 PC방과 같은 건물의 한 층 아래였기 때문에 피해자 친구가 실제로 범행 현장을 목격했다면 그 자리에서 전화로 피해자를 현장으로 부르거나 아니면 직접 한 층을 올라가서 피해자에게 알리는 것이 자연스러운 행동으로 보였기 때문입니다. 이런 상황에서 피해자와 피해자 친구가 2차례나 증인소환에 불응하기까지 하였다면 ②번 진술 또한 사실이 아니라는 확신을 가질 수 있게 됩니다. 따라서 통신사에 통화내역에 대한 사실조회 촉탁을 해 볼 필요가 생긴 것입니다. 실제로 위 사건에서 통신사의 통신자료 조회 회신을 확인해 본 결과 피해자와

피해자 친구 사이에 범행 시각 이전에 통화했던 내역은 존재하지 않았습니다.

이 정도가 되면 증인신문 과정에서 증인에게 물어볼 질문이 많아집니다. 실제로 증인신문 과정에서 피해자의 친구는 피고인의 범행을 목격하지 않았다고 증언함으로써 경찰 수사단계에서 작성한 진술조서에 기재된 진술을 번복했습니다. 이런 증인신문 결과를 토대로 법원은 피고인에게 무죄를 선고하였고, 검찰도 이 판결에 항소하지 않아 무죄가 확정되었습니다.

이 사건에서 피고인의 유죄 증거로 제출된 증거가 매우 허술하고 조잡하였음에도 불구하고 수사단계에서 피해자의 친구의 진술만 듣고 수사기관이 피고인을 기소한 이유는 무엇이었을까요? 가장 큰 이유는 피고인에게 한 차례의 동종전과가 있었기 때문이었던 것 같습니다. 일단 전과가 한 번 생기면 이와 같이 억울하게 범죄자로 몰리게 될 가능성이 높아지기 때문에 정말로 억울하게 기소되었다면 형사재판 절차에서 철저하게 무죄를 다툴 필요가 크다고 하겠습니다.

유리한 계좌거래

형법 제347조는 사람을 기망하여 재물의 교부를 받거나 재산상의 이익을 취득하는 경우에 성립하는 사기죄를 규정하고 있습니다. 그러나 앞서 언급한 바와 같이 우리 형사 실무에서는 일단 받아야 할 돈을 받지 못하면 사기죄로 형사고소부터 하고 보는 민사의 형사화 경향이 있습니다. 따라서 사기죄의 경우 단순한 민사상 채무불이행에 불과한 것이 아닌지에 대한 검토가 필요합니다. 그렇다면 민사상 채무불이행과 형사상 사기죄를 구분하는 기준은 무엇일까요? 형사상 사기죄가 성립하기 위해서는 기망의 고의 또는 편취의 범의로 상대방을 기망하고, 피기망자가 착오에 빠져 처분행위를 하였다는 사정이 모두 인정되어야 합니다.

앞서 설명드린 바와 같이 기망의 고의 또는 편취의 범의는 범죄자의 머릿속에서 일어나는 정신작용이므로 객관적인 정황에 비추어 기망의 고의를 인정할 수 있는지 여부를 추단하여 결정하게 됩니다.

여기서 객관적인 정황은 보통 금전거래의 흐름을 의미하게 됩니다. 용역대금 미지급 사건에서 검사는 당초 2013년 4월경부터 같은 해 6월경까지로 사기 범행 기간을 특정하여 용역대금을 편취하여 피고인이 사기 범행을 범하였다는 취지로 공소장에 기재하였으나 피고인의 은행거래내역을 살펴본 결과 위 기간에는 용역대금이 모두 지급되었음을 확인할 수 있었습니다. 따라서 변론 과정에서 이 점을 지적하자 공판검사는 사기죄 범행기간을 2014년 4월경부터 같은 해 6월경까지 변경하는 내용의 공소장 변경허가신청서를 제출하였습니다.

공소장변경은 형사소송법 제298조에서 범죄사실의 동일성이 인정되는 한 법원이 그 변경을 허가하도록 규정하고 있습니다. 따라서 단순히 오기였던 범죄기간만을 변경한 위 공소장변경신청은 법원의 허가를 받는데 문제가 없습니다. 그러나 공소장변경을 통해 정정된 범행기간에도 피고인은 용역대금이 지급되는 회사계좌로 자신의 돈을 입금하면서까지 피해자들에게 용역대금의 일부를 지급하였다는 점을 확인할 수 있었습니다. 이러한 계좌거래 내역 등의 객관적인 증거를 통해 피고인에게 사기죄 성립에 필요한 요건인 편취의 범의가 있었다고 인정하기는 어렵다는 점을 부각하는 한편, 피해자들이 주장하는 피고인의 언행이 사기죄 성립에 필요한 기망행위로 보기 어렵다는 점까지 함께 변론한 결과 제1심 재판부가 피고인에게 무죄를 선고하게 되었습니다. 이와 같이 사기죄와 같은 재산 범죄로 기소된 경우에는 피고인에게 유리한 계좌 거래 내역이 없는지 확인하여 이를 최대한 활용할 필요가 있습니다.

유리한 CCTV 영상

술자리 싸움 가담 사건과 같이 술집이나 식당 등에서 친구나 선후배 관계에 있는 여러 명의 일행들이 식사 또는 음주를 하다가 다른 일행들과 시비가 붙어 몸싸움 등 물리적 충돌이 발생하게 되는 경우 친구 관계나 선후배 관계가 형법상 공범관계로 평가되는 상황이 발생하게 됩니다. 그리고 단순한 신체접촉에 불과하였더라도 그러한 신체접촉 행위는 형법적으로는 폭행으로 평가될 수 있고, 혹여라도 상처를 입은 사람이 생겼다면 그 상처를 입힌 행위는 폭행치상 또는 상해행위로 평가되어 보다 무겁게 처벌되게 됩니다.

이와 같이 법률적으로 공범관계로 평가되는 경우 발생하는 보다 심각한 문제점은 공범관계로 엮이는 순간 본인이 직접 문제되는 폭행이나 상해행위를 하지 않았더라도 "함께" 그 행위를 한 것으로 평가받아 그에 따른 형사책임을 "함께" 지게 된다는 점입니다. 보다 극단적인 예로는 결과적 가중범의 공동정범이 있습니다. 결과적 가중범은 기본범죄로 인해 의도하지 않은 중한 결과가 발생한 경우 성립하는 범죄를 의미하는데 상해의 의도로 상해행위를 하였는데 의도하지 않은 사망이라는 결과가 발생한 경우 고의범인 살인죄로 처벌되는 것은 아니지만 단순한 상해죄가 아니라 상해치사죄로 처벌될 수 있다는 것입니다. 상해치사죄의 공동정범이 되는 상황이면 자신이 사망의 직접 원인이 되는 상해행위에는 전혀 관여하지 않았더라도 상해치사죄로 처벌될 수 있기 때문에 공동정범의 요건이 충족되었는지 여부에 대한 판단은 매우 중요한 의미를 가질 수밖에 없습니다.

공동정범의 성립요건은 주관적 요건으로서 공동가공의 의사와 객관적 요건으로서 기능적 행위지배를 통한 범죄 실행의 두 가지를 의미하는데, 공동가공의 의사의 의미에 대해서 법원은 타인의 범행을 인식하면서도 제지하지 아니하고 용인하는 것만으로는 부족하고 공동의 의사로 특정한 범죄행위를 하기 위해 일체가 되어 서로 다른 사람의 행위를 이용하여 자기의 의사를 실행에 옮기는 것을 내용으로 하는 것이어야 한다고 판시하고 있습니다.[53]

위 판시는 자칫 조직폭력범죄에서 조직폭력배들이 사전에 범죄행위를 모의하고 그에 따라 각자 범죄행위의 역할을 분담하는 경우에만 공동정범의 공동가공의 의사가 인정될 수 있는 것으로 오해될 수 있습니다. 그러나 공동가공의 의사는 사전 모의가 있는 경우에만 인정될 수 있는 것이 아니고 위 사례에서 확인할 수 있는 바와 같이 단순히 술자리에서 시비가 붙어 일행들간에 신체접촉이 발생한 경우에도 얼마든지 현장에서 암묵적인 공동가공의 의사가 형성된 것으로 인정될 수 있습니다. 그렇기 때문에 위 사안에서 시비가 붙은 일행들 전부가 하나의 공소장에 이름이 기재되어 폭력행위 등 처벌에 관한 법률 위반의 공동상해과 공동폭행으로 기소되었던 것입니다.

사실 이런 상황이 되면 상대방 일행 중 한 명이라도 피고인에게 불리한 진술을 했거나 폭행에 가담한 것으로 보일 수 있는 단 한 프레임의 CCTV영상 증거만 있더라도 공동정범의 요건이 인정될 수 있기 때문에 무죄를 받기가 매우 어려울 수밖에 없습니다. 위 사안에서는 다행히 아래 두 가지 요건이 충족되어 예외적으로 무죄가 선고될 수 있었습니다.

첫째는 경찰 조사 과정에서 작성된 피고인의 상대방 일행의 피의자 신문조서 등 어디에도 피고인의 폭행 가담에 대한 진술 증거가 없었다는 점입니다.

둘째는 피고인과 상대방 일행들 간의 신체접촉이 있었던 두 프레임의 CCTV 영상 중 하나는 방어행위로 평가될 여지가 있는 영상이었고, 나머지 하나는 경찰관 출동 후에 이루어졌기 때문에 공동상해로 평가될 수 있는 범죄 종료 후의 행위라고 평가될 수 있는 것이었습니다.

물론 CCTV 사각 지대에서 폭행 가담이 이루어졌을 가능성도 있고, 술자리에서 다수 당사자들 사이에 벌어진 사건이라는 특성상 단순히 피고인의 폭행에 대한 진술이 누락되었던 것뿐이었을 수도 있습니다. 하지만 형사재판에서 무죄 여부는 실제로 그러한 범죄를 저질렀는지 여부에 대한 판단이 아니라 공소장에 기재된 범죄를 저질렀다고 볼 수 있는 합리적 의심의 여지가 없는 증거가 있는지 여부에 대한 판단이기 때문에 이 사건에서 제1심 법원은 피고인에게 무죄 판결을 선고한 것입니다.

닳아 없어진 지문

      절도죄에 있어서 절취란 타인이 점유하고 있는 재물을 점유자의 의사에 반하여 그 점유를 배제하고 자기 또는 제3자의 점유로 옮기는 것을 말하고, 어떤 물건이 타인의 점유 하에 있다고 할 것인지의 여부는, 객관적인 요소로서의 관리범위 내지 사실적 관리 가능성 외에 주관적 요소로서의 지배의사를 참작하여 결정하되 궁극적으로는 당해 물건의 형상과 그 밖의 구체적인 사정에 따라 사회통념에 비추어 규범적 관점에서 판단하여야 한다는 것이 대법원 판례의 입장입니다.[54]

    옷보따리 수거 사건에서는 재물이 타인의 소유라는 점 및 타인이 점유하고 있다는 점 모두에 대해서 피고인이 인식하기 어려웠기 때문에 피고인에게 절취의 고의에 대한 검사의 입증이 부족하다고 판단되었습니다. 경찰 조사 과정에서 경찰은, 피고인의 처가 옷보따리를 트럭에 실을 당시, 주변에 있던 목격자가 '주인이 있는 것이니 가져가면 안된다'고 한 사실이 있다고 진술했습니다. 만일 이러한 경찰의 진술이 사실이라면 피고인과 피고인의 처 모두에게 절취의 고의가 인정될 가능성이 생깁니다.

그러나 검사가 제출한 증거목록에는 그러한 목격자의 진술을 입증할 수 있는 참고인 진술조서나 통화 내용에 대한 수사보고 등 어떠한 형태의 증거도 포함되어 있지 않았습니다. 따라서 이러한 핵심 증거의 부존재를 집중적으로 변론함으로써 무죄 판결을 이끌어 낼 수 있었던 것이었습니다. 법리적으로는 이와 같은 이유가 있었기 때문에 무죄 판결이 선고될 수 있었지만, 아래와 같은 피고인의 사정들도 1심 재판부로 하여금 무죄 판결을 내리게 만든 숨은 이유가 되었던 것으로 추측됩니다.

우선 피고인은 나이가 79 세로 고령이었고, 처와 함께 폐지나 고물을 수거해서 힘들게 생계를 유지하고 있었습니다. 또한, 경찰 수사보고에 수사자료표 작성과 관련하여 다음과 같은 기재 내용이 있었습니다.

본 건 관련 피의자를 특정 검거하여 피의자신문조서 등 조사를 마치고 수사자료표 작성하고자 하였으나 대상자는 고령과 노동으로 인하여 지문이 손상되어 입력오류로 부득이 수기로 수사자료표 작성하였기에 보고합니다.

마지막으로 경찰이 작성한 수사자료의 마지막에 첨부되는 범죄경력 및 수사경력자료가 기재된 조회회보서에 피고인과 피고인의 처는 모두 형사처벌 전력은 물론 단 한 차례도 수사대상이 된 사실도 없었습니다.

피고인의 나이나 생활수준 그리고 전과 유무는 기소된 범죄의 유무죄를 판단함에 있어서 직접적인 영향을 주는 요소는 아닙니다. 그러나 판단이 애매한 경우에는 결론의 향방을 좌우할 수 있는 숨겨진 열쇠가 될 수도 있습니다.

처벌근거 법률의 위헌

      치질 수술 의사 명예훼손 사건과 같이 의료 시술을 받고나서 그 결과에 불만을 품은 환자들이 시술 의사를 비방하는 인터넷 게시글을 올린 것이 문제되어 명예훼손죄로 기소되는 경우가 적지 않습니다. 이 때 많이 다투어지는 부분이 그 내용이 허위인지 아니면 진실한 사실인지 여부입니다. 만일 비방 게시글의 내용이 진실한 사실에 해당한다면 형법 제310조에 따라 형사처벌 자체를 피할 여지가 생기기 때문에 피고인은 진실한 사실이라고 주장하게 되는 것입니다. 위 사례에서도 제1심 재판부가 이러한 주장을 받아들여 피고인에게 무죄를 선고하였습니다. 그러나 비방 게시글의 내용이 진실한 사실이라고 하여 무조건 형사처벌을 피할 수 있는 것은 아닙니다. 공공의 이익과 관련된다는 점이 인정되어야 합니다. 따라서 진실한 사실을 근거로 비방 게시글을 작성하더라도 공공의 이익과 관련되지 않는다고 판단된다면 진실한 사실 적시 명예훼손죄로 처벌되는 것입니다.

하지만 진실한 사실 적시 명예훼손죄는 헌법상 표현의 자유를 침해하는 위헌 규정이라는 목소리가 점점 높아지고 있습니다. 만일 헌법재판소가 형사처벌의 처벌근거 법률을 위헌이라고 결정한다면 형사처벌을 피할 수 있게 될 수 있게 됩니다. 흔한 경우는 아니지만 간통죄가 그와 같은 위헌 결정을 통해 형사처벌 대상에서 제외됨으로써 많은 피의자와 피고인들이 형사처벌을 피하게 된 사례가 있었습니다. 보다 구체적으로 말씀드리면 2015년 2월 26일 헌법재판소가 형법 제241조에서 규정하고 있던 간통죄 처벌규정을 위헌으로 결정하였습니다.[55] 이러한 헌법재판소의 위헌 결정이 내려지기 전인 1990년, 1993년, 2001년에는 헌법재판소가 간통죄 형사처벌 규정이 합헌이라는 결정을 내린 바 있었습니다. 그러다가 2008년에는 9인의 헌법재판관 중 재판관 4명의 위헌 의견과 재판관 1명의 헌법불합치 의견을 합하여 헌법재판소 재판관 과반수가 넓은 의미의 위헌의견이었으나 위헌결정에 필요한 정족수인 6명을 충족하지 못했기 때문에 합헌결정이 내려졌습니다.[56]

위와 같은 헌법재판소의 점진적인 입장 변화에 따라 2015년에 결국 위헌결정이 내려지자 법원에서는 간통죄 처벌 규정이 최종 합헌결정이 있었던 날의 다음날인 2008. 10. 31.자로 소급하여 효력을 상실하였다고 보아 2008. 10. 31. 이전에 간통죄를 범하였던 피고인에 대해서는 형사소송법 제326조 제4호를 적용하여 면소판결을 선고하였고,[57] 2008. 10. 31. 이후의 간통행위를 이유로 기소된 피고인에 대해서는 무죄를 선고하였습니다.[58] 이와 같이 흔한 경우는 아니지만 형사처벌의 근거 법률 자체가 위헌이라는 헌법재판소의 판단이 내려지는 경우에는 형사처벌을 피할 수 있게 됩니다.

이와 같은 방식으로 형사처벌을 피하기 위해서 형법 및 정보통신망 이용촉진 및 정보보호 등에 관한 법률상의 진실한 사실 적시 명예훼손죄 처벌 규정이 헌법상의 기본권인 표현의 자유를 침해하여 헌법에 위반된다는 취지의 위헌법률 심판이나 헌법소원심판이 헌법재판소에 꾸준히 청구되고 있습니다. 2016년에는 정보통신망 이용촉진 및 정보보호 등에 관한 법률 제70조 제1항 위반으로 기소된 피고인들이 위 조항에 대한 헌법소원심판을 청구하였으나 헌법재판소가 재판관 2명의 위헌의견을 제외하고 나머지 7명의 다수의견에 따라 합헌결정이 내려졌습니다.[59]

위 결정에서 다수의견은 첫째, 위 심판대상 규정이 명확성 원칙에 위반되지 않는다는 점, 둘째, 명예훼손적 표현을 규제함으로써 인격권을 보호해야 할 필요성이 크다는 점, 셋째, 사실에 기초한 명예훼손이 허위사실 적시 명예훼손의 경우와 다를 바 없거나 다른 사람의 사회적 평가를 심대하게 훼손하는 경우가 적지 않아 이로 인한 사회적 피해가 크다는 점, 넷째, 심판대상조항이 '비방할 목적'이라는 초과주관적 구성요건을 추가적으로 요구하여 규제 범위를 최소한도로 하고 있다는 점, 다섯째, 민사상 손해배상 등 다른 제도들이 명예훼손행위를 방지하기에 충분하지 않다는 점 등을 이유로 제시한 바 있습니다.

이에 대해 소수의견인 위헌의견은 첫째, 진실한 사실로서 그에 대한 다양한 의견이 개진되어 자유로운 토론과 논의를 거쳐 해결되어야 할 사안들까지도 심판대상조항의 적용을 받을 가능성이 있게 되어 표현행위에 대한 위축효과가 작지 않다는 점, 둘째, 비방할 목적과 비판할 목적의 구별이 항상 명확한 것은 아닐 뿐더러 어느 목적이 더 주된 것인지 여부를 판단하는 것도 명확하지 않으며 공개할 공익이 큰 행위일수록 비방할 목적이 더 커지게 되는 모순적인 상황이 발생할 가능성이 있어 비방할 목적이라는 초과주관적 구성요건이 존재한다고 하여 표현의 자유에 대한 위축효과가 완화된다고 보기 어렵다는 점, 셋째, 덜 제약적인 명예훼손 구제 제도들이 존재함에도 불구하고 심판대상조항에서 징역형까지 형사처벌할 수 있도록 규정한 것은 표현의 자유를 지나치게 제한하는 것이라는 점, 넷째, 비교법적으로 보더라도 진실한 사실을 적시하는 경우 형사처벌 규정을 두는 사례가 드물다는 점 등을 들어 심판대상조항이 과잉금지원칙에 위반하여 표현의 자유를 침해하므로 헌법에 위반된다는 의견을 제시하였습니다.[60]

위 헌법재판소의 결정이 내려진 후 5년 뒤인 2021년에는 형법 제307조 제1항이 표현의 자유를 침해하는지 여부에 대한 결정이 내려졌는데 결론은 2016년 결정과 동일하게 합헌결정이 내려졌지만 재판관 4명이 위헌의견을 제시하여 향후에는 진실한 사실 적시 명예훼손죄가 위헌으로 판단될 가능성이 조금 더 높아진 것으로 보입니다.

2021년 헌법재판소 결정의 다수의견은 첫째, 매체가 다양해짐에 따라 명예훼손적 표현의 전파속도와 파급효과가 광범위해지고 있고 일단 훼손되면 완전한 회복이 어려워 명예훼손적 표현행위를 제한해야 할 필요성이 커졌다는 점, 둘째, 징벌적 손해배상이 인정되지 않는 우리나라의 민사적 구제방법만으로는 형벌과 같은 예방효과를 확보하기 어렵다는 점, 셋째, 헌법재판소와 대법원이 형법 제310조의 적용범위를 넓게 해석해서 표현의 자유 제한을 최소화하고 있다는 점, 넷째, 형법 제307조 제1항의 사실을 사생활의 비밀에 해당하는 사실로 한정하는 일부 위헌결정을 하더라도 사생활의 비밀에 해당하는 사실과 그렇지 않는 사실 사이의 불명확성으로 인해 또 다른 위축효과가 발생할 가능성이 존재한다는 점, 다섯째, 공익성이 인정되지 않음에도 단순히 타인의 명예가 허명임을 드러내기 위해 개인의 약점과 허물을 공연히 적시하는 것은 표현의 자유의 목적에도 부합하지 않는다는 점을 합헌결정의 이유로 제시하고 있습니다.

이에 대해 반대의견은 첫째, 표현의 자유는 민주주의의 근간이 되는 핵심적 기본권이므로 그 제한은 최소한으로 이루어져야 한다는 점, 둘째, 표현의 자유의 중요한 가치는 공직자에 대한 감시와 비판인데, 감시와 비판의 객체가 되어야 할 공직자가 진실한 사실 적시 표현행위에 대한 형사처벌의 주체가 될 경우 국민의 감시와 비판은 위축될 수밖에 없다는 점, 셋째, 진실한 사실을 적시하는 것은 행위반가치와 결과반가치를 인정하기 어렵다는 점, 넷째, 형법 제307조 제1항은 반의사불벌죄이므로 제3자가 고발을 남용하여 진실한 사실 표현에 대해서도 형사절차가 개시되도록 하는 전략적 봉쇄소송이 가능하고 이 경우 표현의 자유의 위축효과가 더욱 커지게 된다는 점, 다섯째, 진실한 사실이 가려진 채 형성된 허위·과장된 명예가 표현의 자유에 대한 위축효과를 야기하면서까지 보호해야 할 법익이라고 보기 어려운 점 등을 위헌 판단의 이유로 제시하고 있습니다.

현실적인 측면에서 위헌의견의 가장 강력한 논거는 징벌적 손해배상이 인정되지 않는 우리 나라의 민사적 구제방법의 한계라고 할 수 있을 것 같습니다. 현재 징벌적 손해배상제도를 부분적으로 도입하고 있으나 그 적용범위가 매우 제한적이어서 징벌적 손해배상제도의 전면적 도입 등 손해배상제도를 현실에 맞게 고쳐야 한다는 목소리가 높아지고 있습니다. 이에 따라 손해배상액의 현실화 등이 이루어진다면 진실한 사실 적시 명예훼손 규정에 대한 합헌 의견의 입지가 더 좁아질 것으로 예상됩니다.

항소심 대응 전략

　　앞서 12건의 무죄사례와 이러한 무죄 판결을 이끌어 낼 수 있는 요건들을 살펴보았지만 제1심에서 운이 좋게 무죄가 선고되었다고 하더라도 많은 경우 무죄 판결에 대해서 검사가 불복하고 그 결과 항소심 등 상급심에서 무죄 판결이 번복되어 유죄가 선고되는 경우도 적지 않고 앞서 소개한 사례 중에서도 그런 경우가 있었습니다.

　　반대로 1심에서 유죄가 선고되었지만 피고인이 항소하여 무죄 판결이 선고될 가능성도 이론적으로는 존재합니다. 그러나 현실적으로는 제1심에서 선고된 유죄 판결이 뒤집혀 항소심 또는 상고심에서 무죄로 선고될 확률은 매우 낮은 것이 현실입니다. 2022 범죄백서에 따르면 2021년 항소심에서 원심을 파기하고 무죄 판결을 선고한 비율은 1.6%에 불과한 것으로 집계되고 있습니다.[61]

이와 같은 사정에 비추어 제1심에서 유죄가 선고되었다면 무죄를 기대할 수 있는 확실한 증거가 확보되었거나 기타 무죄 요건이 충족된 것으로 볼 수 있는 사안이 아니라면 죄를 인정하되 양형 부당을 다투어 제1심보다 유리한 양형을 받을 수 있도록 노력하는 것이 현실적으로 성공 가능성이 높은 대응전략이 될 수밖에 없습니다. 아래에서는 이와 같은 전략에 따라 항소심에서 감형을 이끌어 낸 사례를 소개하겠습니다.

스포츠 토토 사건

피고인이 국민체육진흥법 위반(도박개장등), 도박공간 개설 등의 죄목으로 기소된 사안에서 제1심 재판부는 공소장 기재 범죄사실에 비해서 피고인이 분담한 역할이 적고 가담한 기간이 짧았다는 주장을 모두 배척하면서 피고인이 2013년 여름 무렵부터 2015년 11월경까지 스포츠토토 도박사이트를 개설하고 회원들을 모집하여 체육진흥투표권 또는 이와 비슷한 것을 발행하여 결과를 적중시킨 자에게 재물이나 재산상의 이익을 제공하는 행위를 함과 동시에 영리를 목적으로 도박하는 공간을 개설하였음을 인정하여 피고인에게 징역 2년을 선고하였습니다.[62] 이에 대해 피고인이 항소한 결과 항소심은 다음과 같은 이유를 설시하면서 원심판결을 파기하고 6개월이 감형된 징역 1년 6월을 선고하였습니다.[63]

검사가 제출한 증거들만으로는, 이 사건 공소사실 중 피고인이 2013. 여름 무렵부터 2015. 10. 말경까지 공범들과 공모하여 이 사건 도박사이트 운영에 가담하였다는 부분을 인정하기에 부족하다.

가. 피고인의 가담시기

① 피고인은 검찰에서부터 당심에 이르기까지 A로부터 요청을 받아 2013. 11.경부터 2015. 7. 말경까지 이 사건 도박사이트 수익금을 A에게 전달하였다고 주장하고 있다. 피고인이 이 사건 도박사이트 운영에 가담하였다는 것을 인정하면서 특정 기간인 '2013년 여름 무렵부터 2013년 10월 말경까지'의 기간 동안에 가담한 것만을 허위로 부인할 특별한 이유를 찾기 어렵고, 한편, 피고인의 경력증명서에는 피고인의 재직기간이 2007년 7월부터 2013년 8월까지라고 기재되어 있다.

② A는 2001년경 온라인 게임을 하면서 피고인을 알게 되어 피고인과 가까지 지냈고, 2012년 11월 22일경부터 2015년 11월 9일경까지 필리핀 소재 사무실에서 운영한 도박사이트 수익금을

국내에서 관리해 줄 사람이 필요하게 되어 피고인에게 이를 요청하여 그 승낙을 받았다. 피고인이 A의 승낙을 받아 도박사이트 수익금을 관리한 기간에 대하여, A는 검찰에서 "2013년 말경 피고인이 다니던 회사를 그만 두게 되어 A 자신의 돈으로 사무실을 구해 피고인에게 게임을 할 수 있는 공간을 마련하여 게임을 하게 해주면서 수익금 관리를 부탁하였다", "피고인에게 현금 인출을 부탁하였는데, 피고인이 이를 거절하였고, 그 후 B를 신뢰하지 못하여 B가 현금을 인출해 피고인에게 전달했고, 피고인은 2013년 말부터 2015년 11월경까지 돈을 받아 피고인에게 전달하는 역할을 했다"라고 진술했고, 원심 법정에서, "피고인이 2013년 말경부터 도박사이트 수익금을 보관하거나 전달하는 역할을 했다", "피고인이 오피스텔에 들어와 게임을 하면서 수입이 있었고, 2013년 말경 처음으로 이 사건 도박사이트 관련 현금을 보관하는 역할을 하였다", "2012년부터 2013년까지는 준비기간으로 수익이 나지 않았기 때문에 한국에 돈을 축적하거나 통장이 계속 필요하지 않아 한국에 귀국해서 직접 자신이 일을 처리하면 되었는데, 2013년 말부터 매출에 따른 입금이 늘면서 피고인에게 부탁을 한 것으로 기억한다"라는 취지로 진술하였다. A를 비롯한 공범들과 피고인의 관계, 도박사이트 운영 및 피고인의 가담시기에 관하여 가장 잘 알 수 있는 A의 위치나 역할, 검찰 및 원심 법정에 이르기까지 위와 같이 일관되고 구체적이면서 명확한 A의 진술 내용, A가 피고인의 가담 시기에 대해서만 허위로 진술할 특별한 이유가 발견되지 않는 사정(뒤에서 보는 바와 같이 피고인의 공범으로서 역할 등에 대하여는 피고인의 주장과 다른 내용을 구체적으로 진술하고 있다) 등을 종합하면, A의 위 각 진술은 공범들의 진술 중 가장 믿을 수 있는 것으로 보인다.

③ C는 A가 도박사이트를 운영한 초기부터 필리핀 소재 사무실에서 정산, 배당률 공지, 공지사항 업데이트, 충전·환전 등의 역할을 하였고, 약 2개월에 한 번 정도 한국에 입국하여 일주일 정도 있다가 다시 필리핀으로 돌아갔으며, 한국에 있는 동안 피고인을 약 6~7번 정도 만났다. C는 원심 법정에서 "피고인이 2013년 여름 때부터 도박사이트 운영에 가담한 것으로 기억하고, 몇 월인지는 정확히 기억나지 않고 여름이었던 것 같다", "피고인이 B로부터 수익금을 받아서 A에게 전달한 것에 대해서는 잘 모른다, 필리핀에 있으면서 한국으로 돈만 부쳤지 그 돈에 대해서는 잘 모른다"라고 진술했다. 위와 같이 C와 피고인이 자주 만난 것은 아니고, 피고인의 역할에 대해서 C가 자세히 알지는 못하는 것으로 보이는 점, 피고인이

가담한 시기에 대하여 정확히 기억하지 못하고 있고, 피고인이 2013년 여름부터 가담한 것으로 기억한다고 하면서 그렇게 기억하는 구체적인 이유를 제시하지 못하는 점 등을 종합하면, C의 원심 법정에서의 불명확한 진술 내용만으로 피고인이 2013년 여름 무렵부터 도박사이트 운영에 가담하였다는 것을 인정하기에 부족하다.

④ B는 도박사이트 수익금을 국내에서 인출하여 피고인에게 건네주었고, 피고인은 이를 보관하고 있다가 A에게 전달하는 역할을 하였다. B는 원심 법정에서, "정확하게는 기억이 나지 않지만 2013년도부터 범행에 가담하기 시작한 것 같고, 몇 월인지는 기억나지 않으며, 여름쯤인 것으로 알고 있다", "연도는 정확히 기억나지 않지만 미용실에서 손님을 통해서 피고인을 소개받고 범행에 가담하였다", "연도 개념이 없어서 정확하게 연도를 말하기가 애매한데 2013년쯤에 일을 한 것으로 기억한다"라고 진술했다. 한편, B는 원심 법정에서의 진술과 달리 검찰에서, "피고인으로부터 연락을 받고 2015. 1.경부터 2016. 4.경까지 현금 인출을 했고, 매월 1일경 기름값 등 경비를 포함해 월 300만 원 전후를 받았다"라고 진술하였다. 위와 같이 B가 피고인을 소개받고 현금 인출을 한 것은

정확히 기억하면서도 그 가담 시기에 대하여 구체적인 연도를 기억하지 못하고 있고, 2013년 여름쯤부터 가담한 것으로 기억한다고 하면서 그렇게 기억하는 이유나 근거를 제시하지 못하였으며, 검찰에서의 진술 내용과도 일치하지 않은 점, 한편, B에 대한 이 사건 도박사이트 관련 형사사건에서 B가 2012년 11월경부터 2015년 11월경까지 A, C와 공모하여 이 사건 도박사이트 운영에 가담하였다는 내용으로 B에게 징역 1년 2월 및 추징금 4,500만 원이 선고되어 확정되었는데, B의 약 1년 동안의 수입에 대한 추징액(B의 월 수령액을 약 350만 원이라고 하면 1년 동안의 수령액이 약 4,200만 원임)과 큰 차이가 있지는 않는 점, A는 검찰에서 "B가 2013. 말경부터 일한 것으로 알고 있다"라고 진술한 점 등을 종합하면, B의 원심 법정에서의 명확하지 않은 진술 내용만으로 피고인이 2013년 여름 무렵부터 도박사이트 운영에 가담하였다는 것을 인정하기에 부족하다.

라. 소결

따라서 검사가 제출한 증거들만으로는, 이 사건 공소사실 중 피고인이 2013년 여름 무렵부터 2013년 10월 말경까지 공범들과 공모하여 이 사건 도박사이트 운영에 가담하였다는 부분을 인정하기에 부족하므로, 이와 달리 위 기간 동안에도 피고인이 범행에 가담하였다고 판단한 원심판결에는 법리오해 내지 사실오인의 위법이 있고, 피고인의 범행 가담기간을 지적하는 피고인의 주장은 일부 이유 있다.

3. 결론

그렇다면 피고인의 법리오해 내지 사실오인에 관한 항소는 일부 이유 있고, 이 부분이 나머지 유죄 부분과 포괄일죄의 관계에 있으므로, 원심판결은 전부 파기될 수밖에 없다. 따라서 피고인의 양형부당 주장에 관한 판단을 생략한 채 형사소송법 제364조 제6항에 따라 원심판결을 파기하고, 변론을 거쳐 다시 다음과 같이 판결한다.

항소심 감형과 가석방

스포츠 토토 사건에서 제1심에서 징역 2년을 선고받은 피고인은 항소심에서 정확히 6개월이라는 기간을 특정하여 감형 받기를 원했습니다. 피고인이 6개월이라는 특정한 기간의 감형을 원했던 이유는 가석방을 받기 위해서였습니다. 우리 형법 제72조 제1항은 징역이나 금고의 집행 중에 있는 사람이 행상이 양호하여 뉘우침이 뚜렷한 때에는 무기형은 20년, 유기형은 형기의 3분의 1이 지난 후 행정처분을 가석방을 할 수 있다고 규정하고 있습니다. 그러나 실무상 형기의 3분의 1이 지난 후 당연히 가석방을 받을 수 있는 것은 아니고 대체로 형기의 3분의 2 정도를 채운 모범수를 대상으로 가석방의 혜택이 주어지는 것이 일반적입니다.

이러한 실무례에 따르면 징역 2년의 경우에는 16개월의 형기를 채운 후에야 가석방을 기대할 수 있지만 6개월이 감형되어 징역 1년 6월이 선고될 경우에는 12개월의 형기만 채운 시점에서 가석방을 통해 집으로 돌아갈 수 있다는 희망이 생기게 됩니다.

한편, 형법 제73조 제1항에 따라 형기에 산입된 판결선고 전 구금일수는 가석방을 하는 경우 집행한 기간에 산입하기 때문에 기소 단계에서 구속영장이 발부되어 구속재판을 받은 피고인의 경우 더욱 조속한 가석방을 기대할 수 있습니다. 위 사례에서 피고인은 2019년 1월 15일 체포된 후 같은 해 1월 18일 구속되었고, 같은 해 2월 1일 기소되었으며 제1심 판결은 2019년 6월 14일 선고되었습니다. 그리고 피고인만이 제1심 판결에 대해 항소하여 항소심 절차가 진행되었고, 항소심 판결은 2019년 10월 24일 선고되었습니다. 결국 피고인은 항소심 판결이 선고될 즈음이면 가석방에 필요한 형기를 거의 채운 셈이 되므로 그간 모범적인 수형 생활을 했다는 점을 인정받게 될 경우 선고된 형기 보다 훨씬 이른 시점에 가족들의 품으로 돌아갈 수 있게 되는 것입니다. 이러한 계산에 따라 피고인이 6개월이라는 특정한 기간의 감형을 간절히 원하게 되었던 것입니다.

이와 같은 태도나 전략에 대한 평가는 다양할 수 있겠지만 피고인이 아동범죄나 가정폭력사범 또는 강도 및 살인 등 강력범죄를 저지른 경우가 아닌 한 피고인의 조속한 사회복귀로 인해서 야기될 수 있는 폐해는 거의 없다는 점에서 이러한 가석방에 대한 기대와 의지를 부정적으로 평가할 이유는 없다고 생각합니다. 또한 위 사례의 피고인은 슬하에 어린 자녀들을 두고 있는 가장이었는데 피고인이 이러한 어린 자녀들이 기다리고 있는 가정으로 조속히 돌아가서 피고인의 자녀들에게 미칠 부정적 영향을 최소화함과 동시에 피고인에게 건실한 사회구성원으로 살아갈 수 있는 기회를 부여하는 것이 사회 전체적으로 보더라도 이익이 될 것이라는 점에서도 마찬가지 결론에 이르게 됩니다.

법정 진실 게임

피고인의 유죄를 입증할 증거로 제출되는 진술증거는 범죄와 관계없는 제3자 또는 피해자의 진술로 이루어지는 경우가 많습니다. 하지만 범행이 은밀하게 이루어져서 외부자들이 범행에 대해 잘 알지 못하는 경우에는 공범자들 상호간의 진술을 피고인의 유죄 입증을 위한 증거로 사용하게 되는 경우도 있습니다. 스포트 토토 사건이 그 대표적인 예입니다. 이 사안에서 공범으로 기소된 피고인들은 온라인게임을 같이 하면서 알게 되어 형동생 또는 친구 관계로 지내다가 스포츠도박 사이트 운영과 관련된 돈벌이 제안을 받고 범행에 가담하게 되어 법적으로 공범관계로 평가받는 신세가 되었습니다.

상황이 이렇게 되고 보면 여러 가지 이유로 공범들 간에 진실 게임이 발생하게 되는 경우가 많습니다. 공범들 중 누군가는 진실을 말하고 누군가는 거짓을 말하는데 외부자인 검사, 변호사, 판사는 진실을 알 수 없고 다만 추측만 할 수 있을 따름입니다. 변호사는 당연히 피고인의 입장에서 피고인의 이익에 배치되는 진술을 하는 공범이 거짓을 말하고 있다는 전제에서 피고인을 변호하게 되는 반면 검사는 이와 반대되는 입장에 서게 됩니다.

위 사안에서 피고인은 범행 가담 시점에 대해서 2013년 7월이 아니라 2013년 11월부터였다고 일관되게 주장하였으나 제1심 재판부는 피고인의 주장을 배척하면서 판결문에 다음과 같이 이유를 설시하였습니다.

피고인과 변호인이 다투는 피고인의 분담 역할과 가담 시기는 채택 증인들의 증언을 종합하여 범죄사실과 같이 인정할 수 있다. 증인 D는 채택 증인들과 다른 진술을 했지만, 이 증언만으로 나머지 증인들 증언의 신빙성을 탄핵하기 부족하다.

위 제1심 판결문의 판결 이유에 기재된 바와 같이 증인 D 혼자만 다른 공범들과 다른 진술을 한 것이 사실이었다면 아무리 그럴 듯한 논거로 제1심 재판부의 논리를 반박하였더라도 항소심에서 그 판단이 뒤집힐 가능성이 높지 않았을 것입니다. 그러나 실제로는 위 범행의 주범인 A도

D와 동일한 취지의 증언을 하였습니다. 제1심 판결문에 기재된 이유는 잘못된 사실관계를 전제하고 있었던 것이었습니다. 다시 말해 제1심 재판부는 피고인에게 유리한 증언을 한 공범이 1명, 불리한 증언을 한 공범이 3명인 것처럼 인식하고 있었으나 실제로는 2대2로 팽팽한 진실게임이 진행되고 있었던 것입니다. 이와 같이 제1심 재판부가 잘못된 사실관계에 대한 인식을 전제로 판단을 하였다는 것이 증거기록을 통해 확인이 되면 항소심에서 제1심 재판부의 판단이 뒤집힐 가능성이 높아지게 됩니다.

이런 상황에서 추가적으로 필요한 변론은 불리한 진술을 한 공범들 증언의 신빙성을 탄핵하는 것입니다. 공범들이 수사 단계부터 재판 단계에 이르기까지 말을 바꾼 적이 있다거나 거짓을 말한 사실이 있다면 해당 공범들의 증언은 신빙성에 타격을 받을 수밖에 없습니다. 도박장 테이블 좌정 사건에서 무죄가 선고될 수 있었던 중요한 이유 중 하나는 피고인이 수사단계에서부터 도박장에 가게 된 이유와 관련하여 아내가 운영하는 음식점의 외상값을 받기 위해서였다는 진술을 일관되게 유지했기 때문입니다. 이와 같이 형사절차에서는 진술의 일관성이 매우 중요한 의미를 가집니다.

그 밖에 진실게임에서 대립하는 진술들 중 어떤 진술을 진실한 것으로 믿을 것인지 결론 내림에 있어서는 직접 경험하여 알고 있는 사실에 대한 진술이 단순한 추측에 기초한 진술에 비해 신빙성이 높다고 평가될 수밖에 없습니다. 따라서 이와 같은 점들을 최대한 활용하여 법정 진실 게임에서 승리할 경우 무죄 판결에 한 걸음 더 다가갈 수 있게 됩니다.

형사판결과 하인리히 법칙

　　앞서 무죄 판결을 받은 몇몇 사례들을 소개했지만 현실에서 무죄 판결을 받을 수 있는 경우는 극소수에 불과하고 제1심에서 무죄 판결을 받았다고 하더라도 상급심에서 유죄가 인정되는 경우도 적지 않습니다. 한편, 실제로는 범죄를 저질렀지만 운 좋게 유죄 판결의 요건이 충족되지 않는다고 판단되어 무죄 판결을 받았다고 하더라도 그 전과 동일한 태도로 살아간다면 다시 형사절차의 대상이 될 수 있고 그 때는 무죄 판결이 아니라 유죄 판결을 받게 될 가능성이 높습니다.

　　앞서 소개해드린 바와 같이 오제이 심슨은 저신의 전처와 그 남자친구를 살해한 혐의로 기소되었다가 무죄 판결을 받았지만 2007년 라스베가스에서 납치, 폭행, 강도 등의 혐의로 체포되어 다시 형사재판을 받게 되었는데, 이때는 무죄가 아니라 징역 33년형의 유죄 판결을 선고받았습니다. 이처럼 자신의 행위가 문제가 되어 형사절차의 대상이 되었다면 그에 대한 유무죄의 판결 결과에 관계없이 무언가 변화가 필요하다는 신호로 받아들일 필요가 있을 것 같습니다.

보험사에 근무하면서 많은 사고 통계를 다루던 허버트 윌리엄 하인리히Herbert William Heinrich는 산업재해예방Industrial Accident Prevention이라는 책을 펴내면서 그 책에 산업재해로 인하여 사망자가 1명 발생했다면 그 전에 이미 같은 원인으로 발생한 경상자가 29명, 잠재적 부상자가 300명이었다는 통계법칙을 소개하였습니다. 이 법칙은 1:29:300의 법칙 또는 하인리히의 법칙Heinrich's Law라고 불립니다. 이 법칙이 시사하는 바는 큰 사고는 아무런 이유 없이 우연히 발생하는 것이 아니라 밖으로 드러나지 않았지만 내재하고 있던 원인 때문에 발생하는 것이고, 이전에 그러한 원인으로 인한 경고성 징후와 전조들이 발생함에도 아무런 조치가 이루어지지 않기 때문에 큰 사고가 발생하게 된다는 것입니다.

전혀 아무런 전과가 없다가 바로 중범죄를 저지르게 되어 중형을 선고받는 경우 보다는 한 번 범죄를 저지르게 되어 그에 따른 처벌을 받고도 그러한 처벌이 주는 경고를 무시한 결과 다시 범죄를 저지르게 되어 중한 처벌로 이어지는 경우가 더 많습니다. 설령 아무런 전과가 없다가 처음부터 중범죄를 저지르게 된 경우에도 외부로 드러나지는 않았던 문제의 원인이 수면 아래에 잠복해 있었던 경우가 많을 것입니다.

한편, 수상한 목격자 사건에서 확인할 수 있는 바와 같이 한 번 유죄 판결을 받게 되면 그러한 전과로 인한 낙인효과로 다음에 실제로는 범죄를 저지르지 않았음에도 범죄자로 몰려 억울하게 형사처벌을 받게 될 가능성이 높아진다는 점까지 생각해본다면 형사절차의 대상이 되는 유쾌하지 않은 경험을 하기 전에 미리 스스로에 대한 진단을 내리고 이러한 위험을 사전에 차단하려는 노력을 기울일 필요가 있습니다.

평소 건강에 대해 별 생각 없이 살다가 갑자기 병에 걸리게 되면 병원에서 병의 원인이 되는 건강에 해로운 생활습관 개선 등을 권유받게 되는 경우가 있습니다. 질병이 우리 몸이라는 하드웨어를 잘못 관리해온 데 대한 적신호를 보낸 것이라고 할 수 있습니다. 만일 형사절차에 휘말리게 된다면 병의 건강에 대한 적신호와 마찬가지로 그 사건을 우리 뇌의 소프트웨어 점검이 필요하다는 적신호로 받아들일 필요가 있습니다. 예를 들어, 수사기관으로부터 범죄로 평가된 자신의 행위가 분노로 인한 것이었다면 외부자극에 대하여 너무 민감하게 반응하여 쉽게 분노하는 습관이 몸에 배어 있는 것이 아닌지 점검해보고 만일 그렇다면 외부자극에 대해 덜 민감하게 반응하도록 노력할 필요가 있습니다. 질병이라는 건강의 적신호를 심각하게 받아들이지 않을 경우 회복하기 어려울 만큼 건강상태가 나빠질 가능성이 높은 것과 마찬가지로 형사절차라는 적신호에도 뇌의 소프트웨어를 점검하지 않고 그대로 내버려둔 채 살아가다 보면 더 심각한 형사사건이 문제되어 무거운 형사처벌을 겪게 될 가능성이 높아지기 때문입니다.

나아가 설령 형사재판을 받아 본 경험도 없고, 수사의 대상이 된 적도 없다고 하더라도 사전에 자신을 범죄로 이끌 가능성이 있는 원인이 내재해 있는 것은 아닌지 살펴보는 것도 의미가 있을 수 있습니다. 건강검진을 통해 미리 병을 얻기 전에 미리 자신의 몸상태를 확인해보고 식습관과 생활습관을 개선하려는 노력을 기울이는 것과 마찬가지로 볼 수 있기 때문입니다. 이러한 생각을 기초로 제2부에서는 어떻게 범죄 자체를 회피할 수 있을 것인지에 대해서 살펴보겠습니다.

제2부 범죄를 피하는 法

범죄를 피하는 법 탐색의 출발점

모든 인간은 실수를 한다. 그러나 선한 인간은 자신의 잘못을 깨달았을 때 잘못을 인정하고 고친다. 유일한 범죄는 잘못을 인정하지 않는 것이다.

All men make mistakes, but a good man yields when he knows his course is wrong, and repairs the evil. The only crime is pride. "

Sophocles, Antigone

제1부에서는 시간적으로는 2010년대 중반, 공간적으로는 대한민국 서울에서 발생하여 검찰로부터 범죄로 평가받아 기소까지 이루어진 공소사실에 대해서 형사법정에서 유죄를 구하는 검사 그리고 이에 대해 무죄 또는 감형을 구하는 변호인 사이의 법정 다툼과 그에 대한 법원의 판단을 중심으로 검사가 유죄로 판단한 사실관계에 대해서 무죄 또는 감형을 받을 수 있는 요건에 대해서 살펴보았습니다.

제2부에서는 이와 같이 형사처벌의 위험을 초래하는 행위로 인하여 형사처벌을 피할 수 있는지 여부와는 별개로 인간이 그와 같은 범죄행위를 저지르게 되는 이유를 고찰해보고 그에 따라 그와 같은 범죄행위를 피할 수 있는 요건을 탐색하는 것이 가능한지 살펴보고자 합니다.

범죄행위를 피할 수 있는 요건은 '인간은 왜 범죄를 저지르게 되는가'라는 질문과 맞닿아 있습니다. 또한 이 질문은 다시 '인간은 어떤 존재인가'라는 질문으로 연결됩니다. 인간이 살고 있는 세상에 대한 과학계의 설명을 출발점으로 삼아 이러한 질문들에 대한 답을 찾아보겠습니다.

인간이 사는 세상에 대한 이해

모든 입자는 접촉하게 될 경우 함께 소멸하게 되는 반反입자를 가진다. 반反입자로 이루어진 반세계 그리고 반反인간이 존재할 수도 있다. 하지만, 반反자신을 만나게 되더라도 악수하지 마라. 그러면 빛의 속도로 둘이 함께 사라질 것이다.

We now know that every particle has an antiparticle, with which it can annihilate. There could be whole antiworlds and antipeople made out of antiparticles. However, if you meet your antiself, don't shake hands! You would both vanish in a great flash of light.

Stephen Hawking, Brief History of Time

인간이라는 존재를 가능하게 해 온 지구는 좁은 의미에서 인간이 사는 세상이라고 할 수 있습니다. 이러한 지구의 표면 위에서 태어나서 죽을 때까지 지구의 중력장 속에서 살아온 인간들은 경험적 직관에 따라 이 세상을 지구를 중심으로 중력이 잡아당기는 방향을 아래로, 그 반대 방향을 위로 생각하며 살았습니다. 이러한 생각 때문에 과거에는 지구 끝으로 가면 낭떠러지로 떨어진다고 생각하면서 평평한 판처럼 생긴 지구를 중심으로 인간의 눈으로 보기에 움직이고 있는 하늘의 해와 달 그리고 별들을 포함하는 우주 전체가 돌아간다고 인식했습니다.

지구가 평평한 판 모양이 아니라 입체적인 구 모양이라는 점은 이미 기원전 그리스 철학자인 아리스토텔레스 등에 의해 인지되기 시작했으나 지구를 중심으로 하늘이 돌아간다는 천동설의 관점에서 세상을 이해했습니다. 1514년 폴란드의 니콜라스 코페르니쿠스가 지구와 행성들이 해를 중심으로 공전한다는 지동설을 처음으로 주창한 이후 갈릴레오 갈릴레이Galileo Galilei나 요하네스 케플러Johannes Kepler 등 많은 과학자들의 관측에 따른 이론 검증이 이루어지고 나서야 지동설이 과학적 진실로 자리잡게 되었습니다. 물론 이제는 지구가 태양 주변을 도는 여러 행성 중의 하나일 뿐이고, 태양도 태양이 속한 은하계의 약 천 억 개의 별 중 하나일 뿐이며, 태양이 속한 은하계 역시 우주에 존재하는 약 2조 개의

은하 중 하나에 불과하다는 점이 과학적 사실로 받아들여지고 있습니다.[1]

한편, 가장 넓은 의미에서 인간이 사는 세상이라고 할 수 있는 우주에 대한 인간의 이해에도 변화가 있었습니다. 우주가 영원 불변하게 존재해왔던 것이 아니라 과거의 특정 시점에 흔히 빅뱅이라고 표현되는 대폭발 또는 급팽창을 통해 탄생해서 계속 팽창하고 있다는 생각은 1920년대에 제안되기 시작하다가 1931년 벨기에 출신 천문학자이자 카톨릭 사제였던 조지 르매트르Georges Lemaître에 의해 논문을 통해 공식적으로 제안되었습니다. 우주가 시작점이 있다는 생각은 1915년 발표된 아인슈타인의 일반 상대성 이론에 따른 귀결이기도 했지만 우주가 시작점을 가지는 것은 아니라는 정상우주론Steady-state theory이 1948년 발표되기도 하였고, 아인슈타인 본인도 일반 상대성 이론에 따라 우주가 시작점을 가진다는 결론이 마음에 들지 않았던 나머지 우주상수cosmological constant를 자신의 공식에 추가했다가 나중에 자신의 실수를 깨닫고 이를 삭제하기도 하였습니다. 이와 같은 빅뱅이론에 대한 인간의 정서적 저항감은 서서히 극복되어 스티븐 호킹Stephen Hawking과 로저 펜로즈Roser Penrose가 아인슈타인의 일반 상대성 이론을 기초로 우주의 시작점이 있었다는 점을 증명함으로써 이론적으로 검증되었습니다.[2]

한편, 1924년 천문관측 사진에 대한 분석을 통해 나선형 성운spiral

nebula으로 알려졌던 안드로메다 성운이 사실은 우리 은하 밖 최소 100만 광년 이상 떨어진 곳에 수십 억 개의 별을 거느리는 은하라는 사실을 밝혀냈던 허블Hubble은 1929년 다른 은하로부터 오는 빛을 분석하여 더 멀리 있는 은하는 그 거리에 비례해서 더 빨리 멀어져 간다는 허블의 법칙Hubble's Law을 발견했습니다.[3] 이와 같이 관측을 통해 확인되는 현재 우주의 팽창 속도에 비추어 약 138억 년 전에 빅뱅이 발생하였던 것으로 추정되고 있습니다. 빅뱅 당시에는 현재 우주에 존재하는 모든 물질이 한 곳에 모여 있었고, 이를 밀도가 무한대인 시공의 특이점space-time singularity이라고 부릅니다. 이런 상태는 아인슈타인의 일반상대성 이론 대신 불확정성의 원리를 통해서만 설명이 가능한 것으로 생각되고 있습니다. 불확정성의 원리Uncertainty Principle는 1927년 베르너 하이젠베르그Werner Heisenberg가 제안한 이론으로 그 내용은 입자의 위치와 속도를 동시에 정확하게 예측하는 것을 불가능하고 확률적으로 예측할 수밖에 없다는 것을 내용으로 합니다. 이에 대해 아인슈타인은 신은 주사위 놀이를 하지 않는다God does not play dice는 유명한 말을 통해 회의적인 입장을 보였으나 현재는 불확정성의 원리가 양자역학의 기초로 확고하게 자리잡아 인간이 미시세계를 이해하는 데 도움을 주고 있습니다. 이러한 이해에 따르면 은하계와 별 그리고 인간까지 포함하는 우주의 현재의 상태와 같은 구조는 필연적인 인과관계에 의한 것이 아니라 불확정성의 원리에 따라 우연성의 지배를 받는 양자 요동Quantum fluctuation의 결과라는 것입니다.[4] 다시 말하면 인간이 생겨날 수 있는 조건을 갖추지 못한 우주가 탄생했을 수도 있었다는 것입니다.

이보다 더 놀라운 생각은 바로 우주가 무nothingness에서 창조되었다는 것입니다. 다시 말하면, 우주를 구성하는 기본 요소인 시간time과 공간space 그리고 에너지energy가 모두 무nothingness에서 창조되었다는 이야기입니다.[5]

무에서 창조되었다고 하는 우주의 기본 요소 중 그나마 가장 이해하기 쉬운 것이 공간space입니다. 빅뱅으로 우주가 한 점에서 팽창하면서 공간이 생겨났다는 개념 자체는 직관적으로 이해하기 어렵지 않기 때문입니다. 그러나 공간이라는 개념 자체에 대한 인간의 이해는 아인슈타인으로 인해 혁명적으로 변화했습니다. 아인슈타인의 상대성이론에 따르면 뉴턴이 상정했던 바와 같이 물체들 사이의 중력이 작용하는 공간이 따로 존재하는 것이 아니라 중력장 자체가 공간이라는 것입니다.[6] 아인슈타인은 이러한 공간이 중력파gravity wave의 영향으로 물결 모양으로 흔들릴 것으로 예상했고, 그러한 예상은 2015년 9월 14일 레이저 간섭 중력파 관측소Laser interferometer Gravitational-Wave Observatory에서 중력파 검출에 성공함으로써 검증되었습니다.[7] 이와 같이 가장 이해하기 쉬울 것 같았던 공간이라는 개념도 비과학도들이 직관적으로 받아들이기는 어렵습니다.

다음으로 시간도 무에서 창조되었다는 설명은 더 이해하기 어렵습니다. 인간의 일반적인 직관에 따르면 빅뱅이 일어난 것으로 추정되는 약 138억 년 전 이전에도 시간은 계속 흐르고 있었을 것 같이 생각됩니다. 그러나 아인슈타인의 일반상대성 이론에 따라 공간과 마찬가지로 시간 역시 우주 속의 물질과 에너지에 의해 결정되는 동적인 양dynamical quantities으로 보아야 하고 따라서 우주가 생겨나기 이전에는 시간이라는 개념 자체를 상정할 수 없다는 것입니다.[8] 이와 같이 뉴턴의 고전역학에서 물체 운동의 절대적인 배경 역할을 했던 시간과 공간이 아인슈타인의 일반 상대성 이론에 따라 그러한 지위를 상실했을 뿐만 아니라 각각의 독립된 지위마저 상실하고 시공spacetime이라는 하나의 관념으로 통합되었습니다. 결국 인간 존재의 궁극적 배경이 되는 시간과 공간은 인간이 직관적으로 느끼는 바와는 전혀 다른 실체를 가지고 있는 것입니다.

마지막으로 거대한 우주에 존재하는 막대한 양의 에너지 역시 무nothingness에서 생겨났다는 개념은 에너지 보존 법칙인 열역학 제1법칙과 모순되는 공상과학 소설 같은 이야기로 들립니다. 그러나 이에 대해서 과학계는 빅뱅 당시 막대한 양의 양 에너지positive energy와 동일한 양의 음

에너지negative energy가 동시에 생성되어 열역학 제1법칙과 모순되지 않는다고 설명합니다. [9]

위와 같은 현대 과학의 설명을 종합하면 약 138억 년 전에 시간과 공간 그리고 에너지가 빅뱅을 통해 생겨나면서 인간이 탐구해온 우주의 그 모든 것이 만들어지게 되었다는 것입니다. 바꾸어 말하면 약 138억 년 전에 일어난 빅뱅 이전에는 현재 우주 속에 존재하는 말 그대로 천문학적인 양의 물질 일체가 존재하지 않았고, 공간은 물론 시간도 존재하지 않는 완전한 무nothingness의 상태였다는 것입니다. 인간의 존재 기반이 되는 세상에 대한 이러한 이해를 항상 염두에 둔다면 혹시라도 조우할 수 있는 범죄적 충동에서 한 발 정도는 멀어질 수 있을지 모르겠습니다.

생명 그리고 인간에 대한 이해

인간은 아주 평범한 별의 조그만 행성 위에 사는 그저 진화한 원숭이일 뿐이다. 하지만 인간은 우주를 이해할 수 있다. 바로 그 점이 인간을 특별하게 만든다.

We are just an advanced breed of monkeys on a minor planet of a very average star. But we can understand the Universe. That makes us something very special.

Stephen Hawking

앞서 살펴본 바와 같이 완전한 무의 상태에서 빅뱅을 통해 우주가 생겨났고, 그 속에서 생겨난 가스와 먼지 같은 성간 물질interstellar medium은 중력의 작용에 의해 태양과 같은 별이나 지구와 같은 행성이 되었습니다. 이런 과정을 거쳐 우리 태양계는 약 45억 년 전에 생성된 것으로 추정되고 있습니다.

그렇다면 지구상에 생명체는 어떻게 나타나게 된 것일까요? 지구 밖에서 존재하던 생명체가 운석 등을 통해 원시 지구에 안착하게 되었다는 주장도 있으나 원시 지구에서 생명체가 자연 발생했다는 견해가 조금 더 유력한 것 같습니다. 이러한 자연발생설에 따르면, 원시 지구 상에 존재하던 물, 이산화탄소, 메탄 및 암모니아 같은 물질이 자외선이나 전기적 자극을 받아 생명체 조직을 구성하는 단백질의 재료가 되는 아미노산과 유전자 조직을 구성하는 퓨린purines 및 피리미딘pyrimidines 등의 물질로 변환되었고 이런 과정을 거쳐 생성된 유기 분자가 수 억 년이라는 시간을 보내는 동안 자가 복제능력을 가지게 됨으로써 생명체가 되었다는 것입니다.[10]

지구상에 나타난 생명체를 연대기 순으로 보면, 원시적 형태의 생명체가 최초로 나타난 것은 약 37억 년 전이었고, 이후 5억 년 전 최초의 척추동물인 어류가, 3억 6,500백만 년 전에는 양서류가, 3억

2천만 년 전에는 파충류가, 2억 5천만 년 전에는 공룡이, 2억 년 전에는 포유류가, 1억 5천만 년 전에는 조류가 차례로 출현했습니다. 그리고 최초의 유인원Apes이 3,500만 년 전 등장한 이후 오랑우탄 계통은 약 1500만 년 전, 고릴라 계통은 1000만 년 전 각각 분화되었고, 인간과 침팬지의 공통 조상은 약 700만 년 전에 분화된 후 열대림에 머무른 종은 침팬지로 사바나에 터전을 잡은 삼림지대 종은 호모 사피엔스로 각각 분화되었습니다.[11] 이와 같은 분화 과정을 거쳐 현생인류의 직접 조상이 된 호모사피엔스Homo Sapiens는 약 30만 년 전 동아프리카 지구대에서 처음 등장해서 전세계 다른 지역으로 퍼져 나간 것으로 알려지고 있습니다. 약 10만 년 전에는 호모 네안데르탈렌시스Homo neanderthalensis, 호모 에렉투스Homo eretus, 호모 사피엔스Homo Sapiens 등 같은 사람 속Homo에 속하는 종들이 지구상에 살았으나 약 1만 5천 년 전에는 다른 종들이 모두 멸종하여 호모 사피엔스Homo Sapiens 종만이 살아남게 되었습니다.[12]

대한민국을 포함하여 현재 지구상에 살아가는 인간은 대부분 성과 이름을 통해 자신과 다른 사람을 구별하는 표지로 삼고 있습니다. 이름은 대체로 부모님이 지어주시는 경우가 많고 성은 아버지의 성을 그대로 계승하는 경우가 많습니다. 아버지는 아버지의 아버지 즉, 할아버지로부터,

할아버지는 그의 아버지로부터 성을 이어받는 식으로 성씨 대대로 이어집니다. 이와 같은 부계 중심의 성씨의 승계 연혁은 족보라는 형태로 기록되어 자손들이 그들의 공통조상을 확인할 수 있도록 됩니다. 예를 들어, 박씨는 기원전 69년에 알에서 태어났다는 설화를 가지고 있는 박혁거세를 시조로 하고 있습니다. 설화라는 단어 자체에서 알 수 있는 바와 같이 실제로 박혁거세가 알에서 태어난 것으로 받아들일 것은 아니지만 이러한 설화를 통해 박혁거세의 부모나 조상은 자연스럽게 인간의 관심 밖으로 밀려나게 됩니다.

대부분의 다른 성씨도 대략 지금으로부터 2천 년 전 또는 그 이후에 태어난 시조를 가지고 있다는 점에서 인간은 자신의 계통이나 기원에 대해서 단절적 인식을 가지게 되기 쉽습니다. 이러한 오랜 인식을 근본적으로 깨뜨린 사람은 찰스 다윈입니다. 1859년 출판된 종의 기원On the Origin of Species을 통해 "현재 생존하는 생물은 모두 캄브리아기보다 훨씬 앞서 생존했던 종의 계통을 잇는 자손"이라는 입장을 밝혔던 다윈은 1871년 출간된 인간의 유래와 성 도태The Descent of Man and Selection in Relation to Sex라는 책에서 인간이 원숭이와 공통의 선조 생물에서 분기한 이후 여러 인종으로 나누어졌다는 보다 직접적인 주장을 펼쳐 거센 찬반양론의 대립을 불러일으켰습니다.[13]

결국 다윈의 주장에 따르면, 박혁거세와 김알지를 포함해서 약 2천년 전에 한반도에 거주했던 모든 인간들은 약 30만 년 전 동아프리카에 등장한 최초의 호모사피엔스를 공통 조상으로 두고 있다는 것입니다. 나아가 약 700만 년 전에 태어난 한 유인원은 인간과 침팬지의 공통 조상이 되었고, 2억 년 전에 등장한 한 포유류는 인간과 개의 공통조상이 되었다는 것입니다. 궁극적으로는 현재 지구상이 살고 있는 동식물을 아우르는 모든 생명체들은 약 37억 년 전에 등장한 최초의 생명체를 공통조상으로 하는 자손들이라는 것입니다.

이와 같은 진화론의 결론은 최신 유전자 기술에 의해 검증되고 있습니다. 2010년 라이스 대학Rice University 연구팀에 따르면 10개의 인간 유전자 모델 비교를 통해 일명 미토콘드리아 이브Mitochondria Eve라고 불리는 현재 생존해 있는 모든 인간의 어머니로 볼 수 있는 여성 인간이 대략 20만 년 전에 생존했던 인물이라는 점이 통계 유전학적 검증을 통해 확인되었다고 밝혔습니다.[14]

하지만 종의 기원이 출판된 지 2세기에 가까운 시간이 흘렀고, 다윈의 진화론에 따라 현존하는 모든 인류의 공통 어머니가 약 20만 년 전에 태어났다는 연구결과가 최신 유전자 기술에 의해 검증된 오늘날에도 호모 사피엔스 종에 속하는 인간의 머릿속에는 위와 같은 진화론은 적어도 감정적으로는 받아들여지지 않아서 국적이나 인종에 따라 인간을 구분 짓기 쉽고 인간이 아닌 동물과는 당연히 다른 특별한 존재라는 막연한 선입견의 지배를 받기 쉽습니다.

현재까지 국회에서 통과되지는 않고 있지만 2021년 법무부에서 발의한 민법 개정안에 '동물은 물건이 아니다' 라는 동물의 법적 지위에 관한 민법 제98조의 2 제1항이 포함되어 있었습니다. 같은 조 제2항에서 '동물에 대해서는 법률에 특별한 규정이 있는 경우를 제외하고는 물건에 관한 규정을 준용한다'라고 규정하여 동물이 여전히 인간과 같은 권리의 주체가 아니라 권리의 객체라는 점을 확인하고 있기는 하지만 이러한 민법 개정은 위와 같은 진화론에 기초한 인식에 한걸음 다가서는 입법으로 보여집니다.

유전자 보존 로봇

인간은 유전자로 알려진 이기적 분자를 맹목적으로 보존하도록 프로그래밍된 로봇인 생존 기계다.

We are survival machines - robot vehicles blindly programmed to preserve the selfish molecules known as genes.

Richard Dawkins, The Selfish Gene

찰스 다윈Charles Darwin은 종의 기원On the Origin of Species에서 지구상에 존재하는 모든 생물의 종들이 개별적으로 창조된 것이 아니라 공통된 선조에서 갈라져 나왔고 자연 선택natural selection의 과정을 거쳐 각기 다른 방향으로 진화한 결과 현재와 같이 다양한 종을 이루게 되었다는 진화론을 바탕으로 진화 생물학의 기초를 세웠습니다. 리처드 도킨스Richard Dawkins는 이러한 다윈의 진화론을 계승하여 지구상에 자기 복제능력을 가진 생명체가 등장한 후 유전자 복제 과정의 변이가 원인이 되어 여러 종류의 생명체가 공존하는 상황이 발생하였고, 그 중 장수longevity, 생식fecundity 등의 측면에서 비교 우위에 있는 종류가 경쟁에서 살아남는 방식으로 생명체의 진화가 이루어졌다고 주장한 바 있습니다.[15] 그는 다윈의 진화론에서 한 발 더 나아가 진화를 진화의 산물인 개별 생명체가 아니라 그 생명체의 세포 속에 들어 있는 유전자의 관점에서 이해해야 한다는 전제에서 개별 생명체는 유전자 보존을 위한 기계survival machine라는 주장을 펼쳐 학문적으로뿐만 아니라 대중적으로도 큰 반향을 불러 일으킨 바 있습니다.[16]

생명체가 기계와 본질적으로 다를 바가 없다고 이해하는 견해는 그 이전에도 존재하였습니다. 르네 데카르트René Descartes는 인간을 제외한 동물은 시계 같은 물건보다 구조가 조금 더 복잡할 뿐 본질은 같다고 생각했습니다. 데카르트가 이와 같이 생각했던 이유는 동물은 인간과 달리 언어를 사용하거나 철학을 할 수 없다는 이유를 들어 영혼이나 마음이 없다고 결론 내렸기 때문입니다.

그러나 리처드 도킨스의 관점에서 볼 때 인간을 포함한 모든 동물은 유전자 보존을 위해 맹목적으로 프로그래밍된 유전자 보존 로봇survival machine - robot vehicle이고, 그 중 인간은 인간과 침팬지의 공통 조상으로부터 분화된 후 약 700만 년 동안 대뇌 피질의 발달 과정을 거쳐 현재와 같은 기능과 형태의 뇌를 장착한 결과 다른 동물들과는 다른 존재라고 생각하게 되었을 뿐입니다.[17] 리처드 도킨스의 이러한 생각을 다시 풀어보면, 인간은 비록 고도로 발달한 뇌 덕분에 언어와 문자를 가지고 형이상학적인 철학을 논하면서 현재 만물의 영장을 자처하는 위치에 서 있기는 하지만 그 근본을 따져보면 유전자가 자신을 보호하기 위해 만든 유전자 보존 로봇의 최신형 버전일 뿐인 것입니다.

한편 리처드 도킨스는 진화의 정점에 서 있는 인간 역시 유전자 보존을 위한 도구로서의 태생적 한계에서 근본적으로 벗어나지는 못했지만 원래 유전자를 보다 잘 보존하기 위한 목적을 달성하기 위해서 유전자의 설계에 따라 고도로 발달한 인간의 뇌로 인해서

오히려 인간이 유전자의 통제에 반기를 들 수 있는 능력을 가지게 되었다고 설명합니다.[18]

바꿔 말하면 인간은 이기적 유전자 보호를 사명으로 태어난 로봇으로서의 존재와 고도로 발달한 두뇌로 인해 유전자의 설정에 거역할 수 있는 능력을 갖게 된 지능적 존재라는 충돌하는 성격을 동시에 가진 것이 됩니다. 전자로서의 존재인 인간은 유전자 보존 로봇으로서의 사명에 충실하기 위해서는 우선 생존해서 자신의 유전자를 물려받는 후손을 많이 남겨야 합니다. 대부분의 동물들이 본능에 따라 이러한 역할을 충실히 해서 유전자 보존 로봇으로서의 사명을 다하고 있습니다. 그러나 후자로서의 존재인 인간은 유전자에 거역할 수 있는 고도의 지능적 존재로서 때로는 스스로 목숨을 끊거나 자신의 후손을 살해함으로써 이기적 유전자의 자기 보존을 위한 프로그래밍을 무력화시키기도 합니다.

유전자 보존 로봇으로서의 사명에 반하는 이러한 행위는 단순히 사회적으로 부정적으로 평가되는데 그치는 것이 아니라 형법적 처벌 대상이 되기도 합니다. 인간 집단이 그러한 행위를 범죄로 평가하여 형사처벌하는 것입니다. 우리 형법 제269조의 낙태죄, 제251조의 영아살해죄, 제252조의 촉탁, 승낙 살인 및 자살 교사 방조죄가 바로 그러한 예입니다. 다만, 이 중 형법 제269조의 낙태죄에 대해서는 2019년 헌법재판소가 2020년 12월 31일까지를 입법 개정시한으로 한 헌법불합치 결정을 내렸고,[19] 현재 시점까지 국회에서 낙태에 관한 개정 입법이 이루어지지 않고 있어 출산 전 임신중절행위에 대해서는 더 이상 형사 처벌이 가능하지 않게 되었습니다.

한편, 형법 제251조의 영아살해죄는 2023년 8월 8일 시행된 개정 형법에 따라 폐지되었는데, 영아살해행위를 더 이상 처벌하지 않겠다는 의미는 아니라 감경적 처벌규정이었던 영아살해죄 조항을 폐지함으로써 영아살해행위를 오히려 더 무겁게 처벌하겠다는 의미입니다. 또한 자살행위 자체에 대해서는 형사처벌 규정을 두고 있지 않으나 형법 제252조에서 자살에 관여하는 행위에 대한 형사처벌 규정을 두고 있습니다.

이와 같은 우리 형법 규정을 보면, 최근 낙태죄가 제외되기는 했지만 현재 우리 나라에서도 인간의 유전자 보존 로봇으로서의 사명이 제도적으로 강제되고 있는 것으로 볼 수도 있습니다. 한편, 낙태죄에 대한 우리 헌법재판소의 판례 변경과 정반대로 2022년 미국에서는 연방 대법원이 낙태할 수 있는 권리를 헌법상의 권리로 인정했던 1973년 Roe v. Wade 판결을 50년만에 뒤집고 여성의 낙태권abortion right은 헌법상 권리가 아니라는 판결을 내려 큰 파문을 불러 일으켰습니다.[20] 이에 따라 개별 주에서 낙태를 전면적으로 규제할 수 있는 권한을 가지게 되어 낙태행위에 대해서 형사 처벌할 수 있게 된 것입니다. 2019년 우리 헌법재판소 판결의 소수의견과 2022년 미국 연방대법원의 Dobbs v. Jackson Women's Health Organization 판결의 다수의견이 내세운 가장 강력한 논거는 인간 생명의 존엄성이 여성의 인권에 우선한다는 것인데 이러한 생각은 적어도 인간의 유전자 보존 로봇으로서의 사명에는 충실한 것으로 보입니다.

뇌 진화의 역사

지각과 환각의 구별은 흔히 생각하는 것처럼 분명하지 않다. 어떤 면에서는 인간이 세상을 볼 때 언제나 환각을 보는 것이다. 인간이 수용하는 정보에 가장 잘 들어맞는 환각을 고르는 것이 지각이라고 생각해도 좋다.

Indeed, the line between perceiving and hallucinating is not as crisp as we like to think. In a sense, when we look at the world, we are hallucinating all the time. One could almost regard perception as the act of choosing the one hallucination that best fits the incoming data.

V.S. Ramachandran, The Tell-Tale Brain: A Neuroscientist's Quest for What Makes Us Human

지구상에 최초의 생명체가 나타난 이래 현재까지 장구한 진화 과정을 거치는 동안 인간의 뇌에 해당하는 기관 역시 진화 발전을 거듭하였습니다. 즉, 생명체가 복잡한 구조의 고등동물로 진화함에 따라 뇌에도 새로운 기능과 역할을 담당하는 부위가 추가되는 과정을 거쳐 현재 인간의 뇌와 같은 형태와 기능을 갖추게 되었습니다. 원시적인 형태의 동물인 무척추동물들은 신경세포들이 모인 신경절을 통해 외부 자극에 반응하여 생존과 번식에 유리한 방향으로 행동을 통제하였는데, 이러한 신경절이 진화를 거치면서 복잡한 구조를 띠게 되면서 후대 생명체들에 이르러 중추신경계로 집약되게 되었습니다. 이에 따라 척추동물들은 뇌와 척수로 이루어진 중추신경계와 이와 연결된 말초신경계를 통해 자신의 신체 말단까지 연결하는 수직적 통제체계를 현재와 같은 형태로 완성하기에 이르렀습니다.

5억 년 전 처음으로 등장한 어류는 뇌의 형태와 기능이 단순해서 중추신경계에서 척수가 상대적으로 큰 비중을 차지 하였습니다. 이러한 어류의 뇌로부터 진화 발전한 파충류의 뇌는 전뇌forebrain, 중뇌midbrain, 후뇌hindbrain로 분화되어 진화 발달하였는데, 전뇌의 일부인 간뇌Diencephalon는 외부로부터 입력된 시각과 후각 정보를 분석하여 번식과 생존 본능에 필요한 행동을 자동적으로 도출하여 실행할 수 있도록 설계되었습니다. 그 이후 등장한 포유류는 파충류에 비해 대뇌가 커졌고, 특히 유인원과 호모 사피엔스의 뇌에는 대뇌피질Cerebral Cortex이 발달하여 본능에 따른 반사적 행동의 범주를 벗어나게 하는 고차원적 사고능력까지 가질 수 있게 되었습니다.

이와 같은 진화과정을 거쳐 인간의 뇌는 크게 연수, 중뇌, 간뇌 등을 아우르면서 부위로 호흡과 심장박동 등의 기본적인 생명 유지를 담당하는 뇌간Brain stem, 편도체, 해마 등을 포괄하는 부위로 감정과 관련된 기능을 담당하는 변연계Limbic System, 추상적, 고차원적인 사고기능을 담당하는 대뇌 피질Cerebral Cortex 등이 차례로 추가되어 현재의 모습을 갖추게 된 것으로 추정되고 있습니다. 인간 뇌의 각 영역별 해부학적 위치도 이와 같은 진화 순서에 대한 추정을 뒷받침합니다. 즉, 말초신경계와 뇌 사이에서 감각 및 운동정보를 중계하는 역할을 하는 척수Spinal Cord와 연결되어 혈압, 심장 박동, 호흡 등의 기능을 담당하는 연수 등 뇌간이 뇌의 가장 중심 부분에 자리잡고 있고, 그 주변을 변연계가 감싸고 있으며, 두뇌 부피의 약 80%를 차지하는 대뇌 피질은 뇌의 가장 바깥 부분에 위치하고 있기 때문입니다.

미국의 신경과학자인 폴 맥린Paul MacLean은 이러한 뇌 진화의 역사를 기초로 뇌간과 소뇌를 포함하는 R복합체Reptilian Complex 영역을 파충류의 뇌, 변연계를 포유류의 뇌, 대뇌 피질을 인간의 뇌라고 각각 명명하는 삼위일체 뇌Triune Brain 이론을 주장하였습니다. 하지만 롬브로조의 생래적 범죄인 이론의 근거가 되었던 골상학과 마찬가지로 범죄자들은 이 이론에서 지칭하는 파충류의 뇌나 포유류의 뇌가 일반인들과 다른 특별한 점이 있다는 식으로 이 이론을 오해하지 않도록 주의해야 할 것 같습니다.

물론 눈을 통해 받아들이는 시각 정보는 시각피질에서 이미지 형태로 인식되고 그 정보를 변연계의 출입구인 편도체로 보내 감정적 의미를 분별하며 그 시각 정보로 인한 분노와 같은 감정이 촉발된다는 점에서 진화적으로 먼저 형성된 뇌 부분 역시 범죄행위를 포함한 인간의 행동에 영향을 미친다고 볼 수 있습니다.[21] 그러나 그와 같은 감정이 범죄행위로 나아가는 과정에서 인간 뇌의 약 80%를 차지하고 기억, 학습, 추상적 사고 등을 담당하는 대뇌피질 등 뇌의 다른 영역이 중요한 역할을 한다는 점에서 편도체 등 진화적으로 먼저 발달한 뇌 부위 때문에 인간이 범죄를 저지르게 된다고 말하기는 어렵습니다. 따라서 인간이 범죄를 저지르게 되는 원인을 찾기 위해서는 오히려 인간이 다른 동물과 달리 고차원적 사고를 할 수 있게 만드는 대뇌피질에 대한 이해가 필요합니다.

뇌의 신경해부학적 구조

인간이 하는 모든 것, 모든 사고는 뇌에서 만들어진 것이다. 하지만 뇌의 정확한 작동방식은 여전히 풀리지 않은 수수께끼로 남아있다. 뇌의 비밀이 더 밝혀질수록 더 놀라게 될 것이다.

Everything we do, every thought we've ever had, is produced by the human brain. But exactly how it operates remains one of the biggest unsolved mysteries, and it seems the more we probe its secrets, the more surprises we find.

Neil deGrasse Tyson

인간의 몸은 대략 37조 개의 세포로 구성되어 있는 것으로 알려져 있습니다. 이렇게 많은 세포들은 뇌, 심장, 신장, 간, 폐와 같은 5개의 필수적 장기를 포함한 78개의 장기를 구성하여 인간의 생존에 필요한 신진대사를 가능하게 합니다. 이러한 사실에 비추어 보면 인간은 스스로를 하나의 단일한 개체로 인식하고 행동하지만 실제로는 37조 개라는 천문학적인 숫자의 세포 연합체라고 할 수도 있습니다. 이와 같이 엄청난 숫자의 세포들은 너무나 긴밀하게 연결되어 인간의 뇌 속에서 인간 행동과 의사결정에 관여하는 일부 세포들의 지휘 하에 일사불란하게 움직이기 때문에 인간은 자신이 그와 같은 세포 연합체라는 사실을 인식하기 어렵습니다. 오늘날 지구상에 약 200여개의 국가가 하나의 단위로 다른 나라들과 교류하고 있지만 실제 교류는 국가를 구성하는 개별 인간의 활동을 통해 이루어지는 것과 마찬가지로 인간 역시 각 세포들이 인간 신체활동에 필요한 자신의 맡은 바 역할을 함으로써 비로소 정상적으로 기능할 수 있는 것입니다.

인간의 신체활동을 통제하는 수뇌부 역할을 하는 뇌 역시 많은 숫자의 세포 연합체입니다. 기억과 사고 작용을 담당하는 인간의 뇌는 약 천 억 개의 뉴런을 포함하여 대략 1,700억 개의 세포로 구성되어 있습니다.[22] 뇌의 신경계의 기본 단위인 뉴런은 세포체Soma와 수상돌기Dendrite 그리고 축색돌기Axon로 구성되어 있는데, 수상돌기와 축색돌기 모두 세포체에서 뻗어나온 형태를 취하고 있으나 수상돌기는 숫자가 많고 정보를 받아들이는 반면 축색돌기는 하나밖에 없으며 정보를 내보내는 역할을 합니다.[23] 뉴런과 뉴런의 연결지점, 즉 한 뉴런의 축색돌기와 다른 뉴런의 수상돌기의 접점을 시냅스Synpse 또는 신경세포 접합부라고 하는데 여러 수상돌기로부터 입력된 자극의 합이 역치threshold를 넘으면 축색돌기로 출력이 발생하고 역치를 넘지 못하면 출력이 발생하지 않는 방식으로 작동합니다. 다시 말해서 시냅스는 역치를 기준으로 다른 뉴런을 자극하기도 하고 억제하기도 하는 기능을 하게 됩니다.[24] 이러한 모양과 기능의 뉴런은 대뇌에 아무렇게나 퍼져있는 것이 아니라 여섯 개의 층으로 이루어진 대뇌 피질에 층층이 줄을 맞추고 있는데, 각 층을 수직으로 지나는 원주 형태인 하나의 단위가 기본 처리 단위가 되어 복잡한 뇌 회로를 형성합니다.[25]

인간의 뇌가 이와 같은 구조를 갖게 된 이유 중 하나는 진화 과정에서 현생 인류인 호모 사피엔스의 뇌의 크기가 커지고 뉴런의 수가 증가하며 신경망의 크기가 커지는 과정에서 이렇게 증가된 뉴런들이 개별적으로 모두 연결된다면 뇌의 크기가 감당할 수 없을 정도로 커질 수밖에 없었기 때문인 것으로 추정됩니다.[26] 구체적으로는 뇌의 모든 뉴런이 완벽하게 연결되기 위해서는 뇌의 지름이 20킬로미터가 되어야 한다는 연구결과가 나온 바 있습니다.[27] 이와 같이 인체가 감당할 수 없는 수준으로 뇌가 비대화되는 것을 피하기 위해서 뇌의 뉴런 숫자가 증가하는 과정에서 뉴런들 간의 연결은 성기게 만드는 진화 과정을 거쳤고, 그 결과 뇌가 전문화된 수많은 국소 회로로 구분되어 정보를 처리하게 되었다는 것입니다.[28]

인간을 국가라는 조직에 비유하자면, 인간의 뇌가 국소 회로를 통해 정보를 처리하는 것은 국가가 세분화된 행정조직을 통해 조직별로 분장된 업무를 처리하도록 하는 것과 마찬가지인 것입니다. 국가라는 조직의 모든 업무를 왕과 같은 최종 의사결정권자 1명이 모두 일일이 검토해서 판단을 내리는 것이 물리적으로 불가능한 것처럼 인간의 뇌로 수집되는 모든 외부자극에 대한 반응을 어느 하나의 특정 회로에서 처리하는 것은 불가능합니다.

이러한 형태로 뇌 구조가 진화한 덕분에 인간은 동시에 여러 가지 일을 수행할 수 있는 멀티 태스킹 능력이 생겼습니다. 멀티 태스킹의 대상이 되는 각 활동들은 자아 또는 자의식이라는 최고 의사결정권자의 구체적인 지시에 따르는 것이 아니라 미리 프로그래밍화된 바에 따라 자신의 임무를 수행하는 것입니다.[29]

이러한 생각은 인간의 신경계에서 처리하는 정보처리에 대한 실험 결과를 통해 실증적으로도 뒷받침되고 있습니다.[30] 신경연구자들의 실험에 따르면 인간의 신경계가 매초마다 오감을 통해 외부를 통해 수용해서 전달하는 정보의 양은 시각, 촉각, 청각, 후각, 미각 순으로 각각 천만, 백만, 십만, 십만, 천 비트라고 합니다. 이를 합산하면 대략 1초에 대략 천백이십만 비트가 됩니다. 이에 반하여 인간의 의식이 처리할 수 있는 정보의 양은 겨우 초당 50 비트 정도라고 합니다.[31] 이와 같이 약 천백만과 오십이라는 엄청난 차이로 인해서 매초마다 쏟아져 들어오는 외부 자극을 의식이 처리하기 위해서는 의식이 처리할 정보를 추리는 작업만 하더라도 약 0.5초라는 시간이 소요되어 즉각적인 대응이 늦어진다는 문제가 발생합니다. 이러한 문제를 해결하기 위해서 인간의 신체는 10분의 1초도 걸리지 않는 반사 시스템reflex system을 발전시켜 온 것입니다. 또한 동시다발적으로 대응이 필요한 상황에서는 의식의 개입 없이 뇌 속 약 천 억 개의 뉴런이 세부 조직을 이루어 각자 분산된 임무를 수행하도록 진화 발전해오게 된 것입니다. 이러한 뇌의 구조적 특징이 뒤에서 다룰 모듈이론, 디폴트 모드 및 자율주행 모드 등과 연결됩니다.

모듈 이론

누군가를 보고 머릿속에서 무슨 일이 벌어지고 있는지 궁금했던 적이 있니?

Do you ever look at someone and wonder what is going on inside their head?

Joy, Inside out

심리학계에서 유력하게 주장되고 있는 모듈 이론Modular Theory은 뇌의 신경해부학적 구조가 국소회로로 구분되어 있다는 발견과 연관지을 수 있습니다. 이 이론은 인간의 뇌가 하나의 모듈로 구성되어 통일적으로 작동하는 것이 아니라 여러 모듈로 구성되어 각 모듈이 필요한 상황을 자율적으로 판단하여 작동하는 것으로 이해합니다.

이 이론의 내용은 이미 대중적으로 널리 알려져 있습니다. 모듈이론을 기반으로 한 인사이드 아웃Inside Out이라는 영화 덕분입니다. 인사이드 아웃은 픽사 애니메이션 스튜디오에서 제작해서 2015년 개봉된 애니메이션 영화로 전 세계적으로 8억 달러가 넘는 흥행수익을 거두었고 한국에서도 500만명에 육박하는 관객수를 동원한 흥행작이었습니다. 이 영화는 11살 소녀인 라일리라는 이름의 주인공 머릿속에 존재하는 기쁨Joy, 슬픔Sadness, 소심Fear, 까칠Disgust, 버럭Anger이라는 다섯 가지 독자적인 감정들이 순간순간 라일리의 기분과 행동을 조정하는 것으로 그려집니다. 이 영화에서는 라일리와 라일리의 부모들의 머릿속에 각각 존재하는 다섯 가지 감정들이 각 등장 인물들의 머릿속에서 재생되는 화면을 보면서 인물들을 조정하는 것으로 묘사합니다.[32] 이 영화가 전세계적으로 흥행하게 된 이유 중의 하나는 많은 사람들이 이와 같은 묘사가 어느 정도 사실에 부합하는 것으로 느꼈기 때문일 것입니다.

그렇다면 모듈 이론의 어디까지를 사실로 받아들일 수 있을까요? 인사이드 아웃에서는 인간의 최고 의사결정의 주체인 자아나 자의식이 등장하지 않습니다. 그저 다섯 가지 감정들이 그때그때 통제권을 주고받는 상황이 연속될 뿐입니다. 이와 같이 자아에 대한 인식은 환상에 지나지 않으며 느낌에 불과하며 자아라는 하나의 단일한 제어 장치는 존재하지 않는다는 의견도 뇌신경학계에서 주장되고 있습니다.[33] 이 견해에 따르면 좌뇌에는 어떤 사건의 유형을 찾는 역할을 담당하는 신경관 돌기Neural Processes가 있어서 이를 통해 작동하는 해석기 모듈Interpreter Module이 모든 입력 정보를 기초로 이야기를 만들어 낸 결과 인간은 자아라는 것이 존재한다고 느끼게 된다는 것입니다.[34] 이 견해는 자아라는 것은 환상에 불과하므로 자유의지라는 것도 실제로는 존재하지 않고 인간의 행동은 인사이드 아웃의 라일리와 마찬가지로 순간 순간 뇌 속 각 모듈의 통제에 따라 자동적으로 이루어질 뿐이라는 것입니다.[35] 불교 심리학에서도 유사한 분석이 있습니다. 인간의 의식 속에는 자아manas에 대한 감각을 창조해 내려는 경향이 존재한다는 것입니다.[36]

하지만 두뇌는 하나의 전체로 기능하며 구분되는 모듈을 찾을 수 없다는 전체론 또는 연결주의 견해도 있습니다. 또한 이와 같이 대립하는 것처럼 보이는 모듈이론과 전체론의 두 입장이 사실은 상호 배타적이지 않고 두뇌는 복잡한 상호작용 속에서 이 두 가지 특성을 모두 가지고 있는 것으로 이해해야 한다는 절충적인 입장도 있습니다.[37]

어떤 견해가 진실인지 여부에 대해 아직 확립된 정설은 존재하지 않는 것으로 보이고, 실험적으로 검증하는 것도 어려워 보입니다. 법학이론에서는 절충설이 다수의 지지를 받는 경우가 많은데 이 경우도 절충설이 인간 두뇌의 작동방식을 보다 진실에 가깝게 설명하는 것으로 생각됩니다.

첫 번째 이유는 모듈 이론을 뒷받침하는 뇌의 신경해부학적 구조 및 인간의 멀티태스킹 능력에 대한 경험적 지식 등에 비추어 모듈 이론이 최소한 부분적으로는 인간 두뇌의 작동방식을 잘 설명해주기 때문에 모듈이론을 전면적으로 부정하기는 어렵기 때문입니다.

두 번째 이유는 인간의 뇌 속에 모듈 이론을 뒷받침하는 신경해부학적 구조가 확인되지만 그렇다고 하여 모듈이 완전히 독립적으로 존재하는 것은 아니고 궁극적으로는 모든 모듈이 연결되어 있는 뇌의 단일체로서의 신경해부학적 구조를 간과할 수는 없다는 점에서 전체론 역시 전면적으로 부정하기 어렵기 때문입니다.

세 번째 이유는 자아라는 인식이 환상에 불과하다는 직접적인 증거를 찾기 어려울 뿐만 아니라 스스로의 사고 과정에 대한 내면적 관찰을 통해 얻을 수 있는 경험적 지식에 반하기 때문입니다.

나아가 이론적인 당부당에 대한 판단뿐만 아니라 이 책의 주제와 관련한 현실적인 면도 고려해야 합니다. 여기서 현실적인 면이란 법원에서 피고인에 대한 형사처벌의 정도를 결정함에 있어서 고려요소로 삼을 가능성이 있는지 여부에 관한 것입니다. 불행하게도 형사절차에서 최신 뇌신경학이나 심리학 이론을 근거로 자아나 이를 전제로 한 자유의지 모두 환상에 불과하므로 범죄를 회피하는 것이 불가능했다는 주장을 펼친다고 해서 그러한 주장을 기초로 형사처벌을 면제해주거나 감경해줄 가능성은 전혀 없습니다. 결국 자아나 자유의지를 부정하는 입장을 취해서 얻을 수 있는 현실적인 이점은 전혀 없다는 의미입니다.

위와 같은 사정을 종합적으로 고려해보면 인간의 행동은 각 모듈의 작동에 좌우되기도 하지만 하나의 전체로 기능하는 자아의 존재를 부정할 수도 없다고 결론 내리는 것이 타당해 보입니다. 다만, 이와 같은 결론에 따르면 자아와 각 모듈의 역할 분담 정도를 알 수 없어 구체적으로 인간 뇌가 어떤 식으로 작동하고 있다는 것인지 알기 어렵습니다. 이와 관련해서 인간의 뇌를 국가라는 하나의 조직에 다시 비유하면 좀 더 이해하기 쉬울 것 같습니다. 지구상에 많은 국가가 존재해 왔지만 세부적인 조직형태나 운영방식은 저마다 차이가 있고, 완전히 동일하다고 볼 수는 없습니다. 영국의 왕은 1215년 마그나 카르타에 서명한 이래로 왕권이 축소되어 가다가 17세기 말부터는 국정운영에 관한 실질적인 권력이 의회로 이양되었습니다. 그러나 동일한 시기에 이웃 나라 프랑스에서는 루이 14세가 태양왕이라 불리면 절대권력을 행사하고 있었습니다. 인간의 뇌에서 자아가 수행하는 역할도 마찬가지로 볼 수 있을 것 같습니다. 인간 뇌의 작동방식은 같지만 영국의 왕처럼 자아가 실질적인 권한을 행사하지 못한 채 각 모듈이 자율적으로 작동하는 비중이 큰 경우가 있고, 루이 14세처럼 자아가 강한 통제력을 행사하는 경우도 있는 등 개개인 별로 편차가 크다고 이해할 수 있을 것 같습니다.

디폴트 모드

생각을 침묵시켜라 그러면 영혼이 말할 것이다.

Quiet the mind, and the soul will speak.

Ma Jaya Sati Bhagavati

앞서 뇌의 신경해부학적 구조를 근거로 한 모듈 이론과 인간 자아 개념의 양립 가능성에 대해 살펴보았습니다. 이와 같은 인간 두뇌의 작동 구조와 관련하여 살펴볼 필요가 있는 또 하나의 개념은 디폴트 모드 Default Mode 입니다. 디폴트 모드는 두뇌가 능동적이고 적극적인 사고 작용을 하지 않아 휴식을 취하고 있을 것으로 기대되는 상태에서도 뇌의 특정 영역이 활성화되어 있는 상태를 의미합니다.[38]

뇌파검사법Electroencephalogram을 발명한 한스 버거Han Berger가 1929년 휴식 상태에 있는 인간의 뇌파가 멈추지 않는다는 점을 발견함으로써 처음 알려지게 되었습니다. 이 당시까지만 하더라도 뇌는 무언가에 집중하는 임무가 부여되어야 일을 한다는 생각이 지배적이었기 때문에 뇌가 쉬지 않고 일한다는 주장은 인정받기 어려웠습니다. 하지만 이후 점차 이러한 주장을 뒷받침하는 연구 결과들이 쌓이기 시작했고, 2001년에는 신경학자 마커스 라이클Marcus E. Ralchle이 뇌가 의식적인 임무를 수행하고 있을 때의 에너지 소비량이 그렇지 않을 때의 에너지 소비량에 비해 겨우 5% 미만으로 증가할 뿐이라는 연구 결과에 근거해서 뇌는 항상 쉬지 않고 일한다고 결론 내린 후 디폴트 모드Defaul Mode라는 용어를 처음 사용하기 시작했습니다.

아직 디폴트 모드에 대한 연구는 초기 단계이지만 현재까지 밝혀진 바에 따르면 디폴트모드 상태에서 활성화되는 영역은 호모 사피엔스 단계에 이르러 고도로 발달한 연합피질Association Cortex 영역이고, 일상적인 기억을 회상하는 경우 활성화되는 경향을 보이며 반대로 노르아드레날린Noradrenaline의 영향 하에 스트레스를 유발하는 긴장성 두뇌 활동에 의해 억제되는 경향을 보인다고 합니다. 디폴트 모드가 인간의 창의성을 증진시키는 긍정적인 면만 있는 것은 아니고 우울증을 악화시킬 수 있는 부적응성 반추maladaptive rumination에 빠져있는 동안에도 디폴트 모드가 활성화될 뿐만 아니라 자폐autism, 양극성 장애bipolar disorder, 외상후 스트레스 장애Post-traumatic stress disorder 등의 증상과도 관련성이 인정된다는 연구 결과가 발표되기도 했습니다.[39] 이처럼 디폴트 모드는 인간 뇌의 독특한 작동 방식으로 인간에게 좋게도 나쁘게도 작용할 수 있습니다.

인간은 하루에 5만 가지에서 7만 가지 생각을 하는 것으로 알려져 있습니다. 24시간을 초로 변환하면 8만6천4백초이므로 1 내지 2초에 한번씩 새로운 생각을 한다는 것입니다. 이와 같이 하루에 수만 가지의 생각이 나는 현상을 바로 디폴트 모드로 설명할 수 있습니다. 물론 이와 같이 많은 수의 생각은 우리말 '생각이 난다'는 표현에서도 알 수 있는 바와 같이 의도와 무관하게 뇌가 자율적으로 활동한 결과입니다.

최근 비약적으로 발전하고 있는 인공지능은 딥 러닝Deep Learning 기술에 기반을 두고 있습니다. 딥 러닝은 인공 신경망이 많은 양의 데이터를 스스로 조합하고 분석하여 학습하도록 하는 기술인데 IBM사의 설명에 따르면 인간의 뇌의 작동방식을 모방하도록 한 것이라고 합니다.[40] 딥 러닝 기술이 모방한 인간 뇌의 작동방식은 바로 디폴트 모드와 관련된 것으로 볼 수 있을 것 같습니다. 특별히 의식을 하지 않더라도 인간의 뇌는 외부 자극을 오감을 통해 받아들여 수집한 다음 그 데이터를 끊임없이 조합하고 분석하는데 그 과정이 바로 디폴트 모드라고 할 수 있기 때문입니다. 이러한 디폴트 모드의 적나라한 작동 과정을 확인할 수 있는 경우는 바로 꿈입니다. 인간이 꾸는 꿈 속에서는 아무런 관련성이 없는 사람이나 상황이 결합되어 하나의 스토리가 만들어지는데 대체로 황당무계한 경우가 많습니다.[41] 그러나 이와 같이 활발한 디폴트 모드의 작동 결과 의식적으로 아무리 노력해도 풀지 못했던 문제의 답을 찾기도 하는 것입니다.

진화심리학적으로는 생명체가 주변의 위협으로부터 살아남기 위해서는 생존을 위협할 수 있는 위험요소를 끊임없이 상기시키는 두뇌 구조가 그렇지 않은 두뇌 구조에 비해서 생존 가능성이 높아지기 때문에 진화 과정에서 디폴트 모드가 발달하게 되었다고 설명합니다.

과거 인간이 문명사회를 이루기 전에는 맹수나 독버섯과 같은 위험에 대한 데이터가 두뇌 속에서 망각되지 않도록 하는데 중요한 역할을 했고 사회집단을 형성하게 되면서는 다른 집단 구성원과의 관계에서 배척되는 것이 생존에 가장 큰 위협이 되었기 때문에 사회 집단 속에서 자신의 평판이나 신용 유지와 관련된 정보를 연결하여 보다 괜찮은 인간이 될 수 있게 만들어 생존 가능성을 높이는 긍정적인 역할을 해 왔습니다.

그러나 디폴트 모드가 부정적으로 작동하면 분노, 질투심, 박탈감, 욕심 등 불쾌한 감정을 촉발시키는 기억과 정보를 연결하고 두뇌 속에 고착화시켜 스트레스를 유발할 뿐만 아니라 범죄와 같은 부정적인 행동을 야기할 수도 있습니다. 결국 인간 뇌의 디폴트 모드는 선천적으로 주어진 조건이므로 이를 어떻게 긍정적으로 활용할 수 있을지가 중요할 수밖에 없고, 범죄를 피할 수 있는 방법을 찾는 데도 중요할 것입니다.

자율주행 모드

깨어 있으면 온전히 느낄 수 있게 된다. 깨어 있는 상태로 물을 마시면 물 마시는 것을 온전히 느낄 수 있게 된다. 온전히 느낄 수 있게 되면 삶의 깊이가 깊어지고 삶의 기쁨과 평온함을 누릴 수 있게 된다. 깨어 있는 채로 운전하고, 당근을 썰고 샤워를 할 수 있다. 이렇게 할 때 삶을 더 온전히 느낄 수 있게 된다. 그렇게 되면 삶에 대한 통찰을 얻게 된다.

Mindfulness brings concentration. When we drink water mindfully, we concentrate on drinking. If we are concentrated, life is deep, and we have more joy and stability. We can drive mindfully, we can cut carrots mindfully, we can shower mindfully. When we do things this way, concentration grows. When concentration grows, we gain insight into our lives.

Thich Nhat Hanh

최근 테슬라를 필두로 한 자동차 회사들은 빅데이터와 인공지능 기술을 이용해 차량에 장착한 각종 센서와 카메라를 통해 수집한 주변 환경 정보를 분석하여 인간의 개입 없이 스스로 차량 주행을 제어하는 완전한 수준의 자율주행 자동차Autonomous Vehicle를 만들기 위해 노력하고 있지만 완전한 자율주행까지는 아직 가야 할 길이 먼 것으로 보입니다.

이에 반해서 인간은 기나긴 진화과정을 거치는 동안 이미 자율주행 모드를 완성시켜 일상 생활에서 폭넓게 사용하고 있습니다. 여기서 자율주행 모드는 의식적인 의사결정 없이 그 행위가 자동적으로 수행되는 상태를 의미합니다. 인간의 학습 과정은 이와 같은 자율주행 모드를 탑재하는 과정이라고 해도 과언이 아닙니다. 인간은 유아기 동안 많은 시행착오를 거쳐 일단 걷기 자율주행 모드가 뇌 속에 탑재되면 걸음을 걷는 동작에 필요한 메커니즘을 기억하는 뇌 영역에게 필요한 계산을 모두 맡기고 다른 생각을 하면서 걸을 수 있게 됩니다. 이러한 자율주행 모드의 탑재는 비단 걷기에 한정되지 않습니다. 인간이 살아가면서 받게 되는 거의 모든 학습 과정은 자율주행 모드의 탑재를 최종 목표로 합니다. 흔히 새롭게 운동을 배울 때 몸으로 익히는 것이 중요하다는 말을 합니다. 그러나 실제로는 몸이 아니라 특정 신체 활동을 구현하기 위해 필요한 신체 메커니즘을 뇌의 특정 영역이 필요한 장기 기억 형태로 저장하는 것입니다. 장기 기억으로 저장한다는 것은 말 그대로 머릿속에서 지워지지 않도록 한다는 것입니다. 이를 위해서 수없이 많은 반복 훈련이 필요한 것입니다.

이러한 자율주행 모드에 대해서 신경과학자 라마찬드란Ramachandran 박사는 인간의 두뇌 속에는 무의식적 '좀비'가 있어서 신체 활동을 위한 복잡한 계산을 한다고 비유하면서 운동경기를 할 때 좀비가 스스로 자기 일을 하도록 하는 것이 효과적이라고 설명한 바 있습니다.[42] 여기서 무의식적 좀비는 결국 뇌 속에 존재하는 모듈로 이해할 수 있습니다. 이처럼 일상생활에서 반복적으로 하게 되는 행동의 메커니즘을 각 모듈에 저장함으로써 자율주행 모드 상태에서 실행 가능해지기 때문에 인간은 멀티태스킹 능력을 가질 수 있게 되었습니다.

하지만 이처럼 유용한 자율주행 모드 때문에 범죄자가 될 수도 있습니다. 제1부에서 소개했던 만취 뺑소니 사건에서 피의자가 구속영장실질심사 단계에서 자신의 범행을 인정하지 못했던 이유는 운전을 했다는 기억 자체가 없었기 때문에 자신은 운전을 하지 않았고 그 당연한 결과로 사람을 치지 않았다고 믿었기 때문입니다. 피고인이 되고 나서 어쩔 수 없이 자신의 범행을 인정하기는 했지만 갑자기 자신이 운전을 했고 그 과정에서 사람을 치었다는 사실이 갑자기 기억났기 때문이 아니라 범행을 계속 부인할 경우 실형을 선고받게 될 가능성이 많다는 법률적인 조언을 받아들였기 때문이었습니다. 만일 인간에게 자율주행 모드가 가능하지 않다면 만취로 의식이 없는 상태에서 운전 자체를 할 수 없었을 것이므로 범죄자가 되는 일도 없었을 것입니다.

더 심각한 문제는 의식이 있는 상태에서도 인간의 자율주행 모드는 작동을 하고 그 과정에서 벌어지는 행위로 범죄자가 될 수 있다는 점입니다. 앞서 말씀드린 바와 같이 인간은 순간 순간의 상황에 대응하는 각 모듈의 통제에 따를 뿐 의식이라는 개념은 사후적으로 해석기 모듈이 만들어내는 환상에 지나지 않는다는 입장이 아니더라도 인간이 하는 행동 중 많은 부분은 의식의 개입 없이 반사적, 습관적으로 자율주행 모드에서 이루어지도록 설계되어 있고, 실제로도 그렇게 작동하고 있습니다. 따라서 이러한 전제에서 범죄를 피할 수 있는 방법을 찾기 위해서는 반사적, 습관적 행동을 가능하게 하는 알고리즘이라는 개념에 대해 알아볼 필요가 있습니다.

뇌 속 알고리즘

나는 유전학이 디지털이라는 생각에 매료되어 있다. 유전자는 컴퓨터 정보처럼 암호화된 문자의 긴 연속이다. 현대 생물학은 거의 정보 기술의 한 분야처럼 되고 있다.

I'm fascinated by the idea that genetics is digital. A gene is a long sequence of coded letters, like computer information. Modern biology is becoming very much a branch of information technology.

Richard Dawkins

리처드 도킨스는 1976년 출판된 그의 저서 이기적 유전자에서 체스판에서 가능한 움직임possible games은 은하계에 있는 원자의 숫자보다 많기 때문에 체스 컴퓨터 프로그램이 인간 체스 챔피언을 이기는 날은 오지 않을 것으로 예측했습니다.[43] 그러나 그로부터 20년 후인 1996년 2월 10일 딥블루Deep Blue라는 이름의 IBM 슈퍼컴퓨터가 당시 체스 세계 챔피언이었던 개리 카스파로프Garry Kasparov와 체스 경기를 해서 처음으로 승리했습니다. 다만, 딥블루는 이때 이루어진 총 여섯 번 대국 중 단 한 번을 이겼을 뿐이므로 전체 승부에서 승리를 거둔 것은 아니었습니다. 그러나 바로 다음 해인 1997년 재대결이 열렸고 이번에는 딥 블루가 2승 1패 3무의 성적으로 전체 승부에서도 승리를 거둠으로써 컴퓨터가 인간을 이길 수 없다는 오랜 고정 관념을 깨뜨렸습니다.

이 사건을 뉴욕 타임즈The New York Times가 보도하면서 바둑에서 컴퓨터가 인간을 이기려면 100년이 걸릴지도 모른다는 전망을 보도한 바 있습니다.[44] 이러한 전망에 대한 근거는 체스보다 훨씬 복잡하고 미묘한 방식으로 승부가 결정되는 바둑에서는 인간의 전유물인 직관intuitive knowledge이 없는 컴퓨터가 인간을 이기기 어렵다는 이유였습니다.

가로와 세로로 그어져 있는 19줄의 361개의 교차점에 흑과 백의 돌을 번갈아 놓는 바둑은 64칸 안에서 6종류의 말을 정해진 경로에 따라 움직이는 체스보다 훨씬 복잡해서 돌을 놓을 수 있는 경우의 수가 무한대에 근접하기 때문에 단순히 계산능력만 뛰어날 뿐 직관이 없는 컴퓨터가 인간을 이기기 어렵다고 예상한 것입니다.

하지만 그로부터 20년만에 이러한 예상은 깨졌습니다. 2016년 3월 9일 열린 구글 딥마인드DeepMind가 개발한 인공지능 바둑 프로그램 알파고AlphaGo와 이세돌 기사의 대국 전 많은 전문가들은 이세돌 기사의 압도적 승리를 점쳤은 막상 뚜껑을 열고 보니 딥마인드가 전체 5경기 중 단 1경기만을 제외하고 모두 승리한 것이었습니다.

이와 같이 많은 이들의 예상을 깬 구글의 딥마인드 개발팀은 대국이 펼쳐지기 전인 2016년 1월 27일 과학잡지 네이처Nature에 '심층신경망과 트리 검색으로 바둑 게임 정복하기'라는 제목의 논문을 발표해 승리의 비법을 미리 공개했습니다.[45] 이 논문에 따르면 '정책망'과 '가치망'이라는 2개의 기본 신경망으로 구성된 알파고는 몬테카를로 방법Monte-Carlo method에 따라 정책망이 제시한 다음 번 돌을 놓을 경우의 수 중 가치망이 가장 적합한 한 가지 예측치를 제시하는 과정을 통해서 모든 경우의 수를 다 계산하지 않고 일정한 범위의 표본을 추출하여 승률을 어림잡는 방법을 택했다는 것입니다. 딥마인드는 바둑을 둘 때 어느 위치에 돌을 놓는 것이 최선인지를 판별해낼 수 있는 위와 같은 알고리즘을 찾아내는데 성공했기 때문에 최소한 십 년 이상은 더 걸릴 것이라는 예상을 깨고 최정상의 인간 프로 바둑기사를 능가하는 프로그램을 개발할 수 있다고 결론내렸습니다. 이 검색 알고리즘은 인간의 전유물로 여겨졌던 직관을 컴퓨터 프로그램으로 재현해낸 것이라고도 해석할 수 있을 것 같습니다. 이러한 해석에 따르면 인간의 뇌 속에서 뉴런의 결합체인 각 모듈이 수행하는 정신활동은 직관 또는 신비한 그 무언가가 아니라 컴퓨터로 재현 가능한 알고리즘의 실행이라는 의미가 됩니다.

이와 같이 인간의 사고나 행동을 알고리즘의 실행이라고 볼 수 있다는 점은 인간의 언어 습관을 통해서도 알 수 있습니다. 과거에 언어 번역 프로그램의 뜻이 통하지 않고 어색할 수밖에 없었던 이유는 번역 과정이 한 언어의 단어에 상응하는 다른 언어의 단어를 찾아서 그대로 바꾸는 방식이었기 때문입니다. 단순한 단어의 번역이나 짧은 문장의 번역에서는 이러한 방식이 통할 수도 있겠으나 문장이 길어지면 길어질수록 특정 상황에 맞는 특유한 표현이 단어 대 단어의 번역 방식으로는 전달되기 어려워지는 것입니다. 그러나 최근 번역 프로그램의 성능이 좋아지고 있는 이유는 단어 대 단어가 아니라 상황 대 상황을 중심으로 해당 상황에서 각 언어권에서 사용되는 표현을 찾아 제시하기 때문입니다. 결국 인간의 언어 사용은 특정 상황에 맞는 표현을 알고리즘을 통해 찾는 과정이라고 볼 수 있고, 비단 언어 사용뿐만 아니라 인간의 전반적인 행동 방식도 구체적인 상황에 맞는 것으로 입력되어 있는 생각, 말 그리고 행동을 찾아 실행하는 것이라고 볼 수 있는 것입니다. 그렇다면 구체적인 상황에 맞는 것으로 입력되어 있는 알고리즘은 어떻게 형성이 되는 것으로 보아야 할까요?

알고리즘의 형성

부모들은 자신도 모르게 아이들을 자신과 비슷하게 만들어 놓으며 그것을 가리켜 교육이라고 부른다. 모든 어머니들은 자기가 낳은 자식이 자기 소유물이라는 생각을 갖고 있다. 모든 아버지들은 자식을 자신의 견해와 관점에 따르도록 만들 권리가 있다고 생각한다. 사실 과거에는 아버지가 갓난 아기의 생사여탈권을 갖는 것이 당연시되기도 했다. 오늘날에 와서까지도 그 아버지와 같은 역할을 하는 것들이 있으니 그것은 교사, 상류 계급, 신부, 군주 등이며 그들은 낯선 인간을 보면 무조건 새로운 소유의 기회가 왔다고 믿어 의심치 않는다.

Friedrich Nietzche, Beyond Good and Evil [46]

알파고 대국의 예에서 알 수 있는 바와 같이 현재까지 개발된 최고 성능의 슈퍼컴퓨터로 운영되는 인공지능 프로그램이 바둑과 같은 한정된 분야에서만 인간을 앞서 나가기 시작하고 있을 정도로 인간의 뇌는 고도로 진화가 이루어졌습니다. 하지만 이렇게 발달된 인간 뇌의 출발점은 생존에 직접적인 위험이 되는 외부 자극은 피하고 생존에 이로운 외부 자극에는 다가가는 단순한 알고리즘의 신경세포였습니다. 지구상에 생명체가 출현하기 시작한 초기 단계에서는 이 정도의 단순한 알고리즘의 신경세포를 가진 개체가 그렇지 않은 개체에 비해 비교 우위에 서 있을 수밖에 없고 진화 과정에서 살아남게 되었을 것입니다.

그 이후 더 복잡한 알고리즘의 신경계를 가진 개체들이 등장하여 단순한 알고리즘의 신경세포를 가진 개체들에 비해 비교 우위에 서게 된 결과 진화를 통해 살아남는 과정을 거쳤을 것입니다. 이런 방식으로 신경세포가 모여 신경절, 신경계를 거쳐 현재 인간의 두뇌가 되는 하드웨어적 발전을 이루는 한편, 소프트웨어 측면에서는 생존과 번식에 도움이 되는 다양하고 복잡한 알고리즘이 탑재된 것입니다.

보다 구체적으로는 단순히 현재 직면한 외부 자극에 대한 대응전략에 관한 알고리즘뿐만 아니라 기억이라는 형태로 저장된 과거의 경험 데이터를 기초자료로 활용하는 알고리즘을 탑재한 개체도 생겨나면서 두뇌가 점차 기능을 세분화해 나갔을 것입니다. 더 나아가 현재 벌어지고 있는 당면한 외부 상황에서 대응하기 위해서 비로소 적용 가능한 과거의 경험 데이터를 탐색하는 것 보다는 그러한 상황이 발생하기 전에 미리 과거의 경험 데이터를 끊임없이 스캔해서 장래 벌어질 가능성이 있는 외부 위험을 사전에 회피 또는 차단하는 것이 생존에 보다 유리하므로 진화 과정에서 이러한 기능까지 생겨나게 되었을 것입니다. 이러한 기능이 바로 앞서 살펴본 디폴트 모드입니다.

인간의 뇌가 구체적으로 어떻게 작동하는지에 대해서는 아직 밝혀지지 않은 부분이 훨씬 많습니다. 그러나 지금까지 살펴본 바와 같이 기억이라는 형태로 저장된 과거 경험 데이터의 효용성을 극대화하기 위해 만들어진 디폴트 모드와 약 천 억 개의 뉴런을 세부 조직화한 결과 가능해진 자율주행 모드가 인간 뇌 작동 방식의 큰 틀이라고 볼 수 있습니다. 여기서 자율주행 모드는 각 모듈에 미리 프로그래밍된 알고리즘의 실행을 의미합니다. 알고리즘이란 단어는 문제를 해결하기 위한 절차, 방법, 명령어들의 집합으로 정의되는데, 인간이 가족, 학교, 사회 또는 국가 등 다양한 집단의 구성원으로 살아가면서 다른 인간들과의 관계 속에서 필연적으로 맞닥뜨리게 되는 다양한 문제들을 해결하기 위해서는 이러한 정의에 따른 다양한 알고리즘이 필요하게 됩니다. 그리고 이러한 알고리즘의 총체는 일상생활상의 언어로 환원하면 성격이나 성향과 같은 뜻으로 이해할 수 있습니다. 이런 이해에 따를 때, 인간의 두뇌 속에 탑재된 다양한 알고리즘의 총체는 인간의 성장과정에서 비자발적으로 이루어지는 교육과 자발적으로 이루어지는 학습의 결합을 통해 형성되는 것으로 볼 수 있습니다. 이와 같이 한 인간의 알고리즘의 총체가 형성되는 과정은 부모가 자기 자식을 양육하는 과정에서 자신의 알고리즘을 의식적 또는 무의식적으로 주입하는 것에서부터 시작합니다.

2018년 개봉된 고레에다 히로카즈是枝裕和 감독의 어느 가족 万引き家族이라는 영화에서 그러한 과정의 부정적인 한 예를 찾아볼 수 있습니다. 2018년 칸 영화제 황금종려상을 수상한 작품이기도 한 이 영화는 부모의 사망을 신고하지 않은 자식이 부모의 사망 후에도 계속 부모의 연금을 수급하다가 적발된 사건을 모티브로 만들어졌습니다. 영화의 스토리 전부가 실화는 아니지만 영화가 그리고 있는 등장인물들의 심리는 실제인 것처럼 공감을 불러일으킵니다. 이 영화에서 초등학교 저학년 정도의 나이 어린 쇼타는 학교도 다니지 않은 채 친부가 아닌 아버지 오사무로부터 배운 좀도둑질을 하며 살아갑니다. 그 와중에 쇼타는 친부모로부터 학대받다가 우연한 계기로

쇼타 가족의 일원이 된 동생 유리에게까지 죄의식 없이 도둑질을 가르치며 함께 도둑질을 하며 지냅니다. 그러던 어느 날 쇼타의 도둑질을 알면서도 계속 묵인해왔던 구멍가게 주인이 쇼타에게 과자를 주면서 동생에게는 도둑질을 시키지 말라고 훈계하자 쇼타는 불현듯 도둑질에 대한 회의감을 느끼게 됩니다.

이 영화에서 다소 극단적으로 표현되기는 했지만 인간은 성장과정에서 성인, 특히 부모의 알고리즘을 복사해서 자신의 알고리즘으로 체화해 나가게 됩니다. 그러다가 주로 사춘기 전후로 형성되는 독자적인 자의식을 기반으로 알고리즘에 대한 점검 및 수정을 통해 자신의 정체성을 형성하게 됩니다. 이런 알고리즘 수정 과정에서는 친구 등 주변 사람들이 많은 영향을 미치게 됩니다. 최근에는 인터넷의 발달로 현실세계에서 접하는 주변 사람들뿐만 아니라 사이버 공간에서 접하게 되는 사람들의 영향도 많이 받게 됩니다. 이런 알고리즘 형성 과정 및 그와 같이 형성된 알고리즘이 인간의 행동에 미치는 영향력을 생각해보면 범죄행위에 대한 인간의 책임을 인정하는 것이 정당한 것인지 의문이 생기는 경우도 발생할 수 있습니다.

위 영화에서 쇼타의 경우처럼 정체성 형성과정에서 아버지 오사무의 알고리즘을 체화하여 생계유지 수단으로 절도라는 범죄를 저지르게 된 경우 형사처벌의 근거가 되는 책임을 인정하는 것이 정당한 것인지 의문이 들 수도 있기 때문입니다.

성장과정 탓인 범죄

뇌가 곧 그 인간이기 때문에 뇌를 변화시키는 것은 그의 미래를 변화시키는 것이다. 유전자에 의해서 만들어진 뇌는 평생의 경험을 통해 다듬어진다. 경험은 뇌의 작동을 바꾸고 그로써 유전자 발현을 바꾼다. 보이는 행동의 변화는 뇌의 변화를 보여주고 그 반대도 마찬가지다. 처음에는 불가능해보였던 신체동작도 뇌를 변화시키는 반복이라는 연습을 통해 익힐 수 있다.

Because you are your brain. Anything that changes your brain, changes who you will be. Your brain is not just produced by your genes; it's sculpted by a lifetime of experiences. Experience alters brain activity, which changes gene expression. Any behavioural changes you see reflect alterations in the brain. The opposite is also true: behaviour can change the brain. When we first learn a new motor skill, it seems impossible until practice - repetition - changes the brain.

Bryan Kolb [47]

앞서 제기한 의문과 관련하여 성장 과정을 통해 형성된 사고방식에 따라 범죄를 저지르게 되었음을 이유로 형사처벌을 피할 수 있는지 여부에 대해서 다룬 판례를 소개합니다.

1987년 11월 29일 이라크 바그다드 국제공항에서 승객 115명을 태운 대한항공 KAL 858 보잉 707 여객기가 인도양 상공에서 실종된 사건이 있었습니다.[48] 이 사건은 KAL기 폭파사건 또는 KAL 858기 실종사건이라고 불리는데, 당시 대한민국 정부는 88 서울 올림픽 개최를 방해하고 대통령 선거의 혼란을 야기하기 위한 목적으로 북한 당국의 지시를 받은 북한 공작원 김승일과 김현희가 저지른 테러에 의해 폭발한 것이라는 조사결과를 발표하였습니다.[49] 위 북한 특수공작원들은 바그다드에서 KAL 858기에 탑승한 후 라디오 폭탄을 설치하고 아부다비에서 내린 다음 바레인으로 도주하였으나 바레인 공항에서 체포되기 직전 독약이 든 앰플을 깨물어 자살한 김승일과 달리 김현희는 음독자살에 실패한 후 현지 경찰에 체포되어 1987년 12월 15일 국내로 압송되었습니다.

이와 같은 경위로 홀로 살아남은 김현희는 국가보안법 위반, 항공법 위반, 항공기운항안전법 위반 혐의로 기소되어 사형이 선고되었습니다. 이 재판과정에서 김현희의 행위가 형법 제12조의 강요된 행위에

해당한다는 변론이 이루어졌으나 대법원이 이를 받아들이지 않아 김현희에 대한 사형이 확정되었습니다.[50]

위와 같은 대법원 판결을 이해하기 위해서 형법 제12조가 어떤 내용을 담고 있는지를 먼저 살펴봅니다. 형법 제12조는 저항할 수 없는 폭력이나 자기 또는 친족의 생명 신체에 대한 위해를 방어할 방법이 없는 협박에 의하여 강요된 행위는 벌하지 아니하는 것으로 규정하고 있습니다. 여기서 벌하지 아니한다는 의미는 형법적으로 구성요건에 해당하고 위법한 행위를 하였지만 행위자에게 책임을 지울 수 없는 책임조각사유가 인정되는 것이라고 표현됩니다. 다시 말해서 범죄를 저질렀다는 사실이 인정되더라도 행위자의 책임으로 돌릴 수 없어 처벌할 수 없다는 의미입니다.

이 사건의 항소심 재판부는 김현희의 범행이 형법 제12조의 강요된 행위에 해당한다는 변호인의 주장을 다음과 같은 이유로 배척하였고, 대법원도 항소심의 판단이 타당하다고 보았습니다.[51]

형법 제12조에서 말하는 강요된 행위는 저항할 수 없는 폭력이나 생명, 신체에 위해를 가하겠다는 협박 등 다른 사람의 강요행위에 의하여 이루어진 행위를 의미하는 것이지 어떤 사람의 성장교육과정을 통하여 형성된 내재적인 관념 내지 확신으로 인하여 행위자 스스로의 의사결정이 사실상 강제되는 결과를 낳게 하는 경우까지 의미한다고 볼 수 없다.

위와 같은 결론에 대해서 대법원이 밝힌 보다 구체적인 이유를 소개하면 다음과 같습니다.

원심판결 이유에 의하면 원심은, 피고인이 경찰 이래 원심에 이르기까지 북한에서 대남공작원으로 선발되어 이 사건 항공기의 폭파지령을 받고 그 범행을 실행할 당시까지 그와 같은 선발을 위한 소환이나 명령을 거절 회피한다는 것은 도저히 있을 수 없는 일로 생각하여 왔다고 진술하고 있고, 피고인의 위와 같은 생각은 피고인이 북한이라는 폐쇄된 사회에서 출생하고 다시 격리된 공간 등에서 약 7년 8개월 동안 C에 대한 무조건적인 충성심을 고취하는 사상교육을 받은 결과임을 인정할 수 있기는 하나, 피고인은 제1심 판시와 같이 이 사건 범행을 피고인에게 주어진 당의 크나큰 신임과 배려로, 최고의 영광으로, "남조선해방과 조국통일"을 위한 것으로 생각하고 한 점의 회의도 없이 신념에 가득 차 이를 수행하려고 노력한 사실을 인정할 수 있어 피고인이 저항할 수 없는 폭력 또는 생명, 신체에 대한 협박에 의하여 강요되어 이 사건 범행에 이른 것으로 볼 수는 없고, 또한 그와 같은 잘못된 확신이 그의 자유의지에 반하는 성장교육과정에서 형성되었다 하더라도 그에 기초한 이 사건 범행을 강요된 행위라거나 기대가능성이 없는 행위이어서 벌할 수 없는 행위로 볼 수는 없다고 판단하였다.

기록에 비추어 볼 때 원심의 위 사실인정은 옳고 위 원심인정사실과 원심이 유지한 제1심 판결이 적법하게 인정한 사실 가운데 피고인이 대남공작원으로 선발됨에 있어서도 남조선해방을 위하여 투쟁하게 된 것을 영광스럽게 생각하였다는 사실 등에 미루어 보면 원심이 피고인의 이 사건 범행을 강요된 행위로 볼 수 없다고 한 판단은 이를 수긍할 수 있으며 또한 형법 제12조에서 말하는 강요된 행위는 저항할 수 없는 폭력이나 생명 신체에 위해를 가하겠다는 협박 등 다른 사람의 강요된 행위에 의하여 이루어진 행위에 의하여 이루어진 행위를 의미하는 것이지 어떤 사람의 성장교육과정을 통하여 형성된 내재적인 관념 내지 확신으로 인하여 행위자 스스로의 의사결정이 사실상 강제되는 결과를 낳게 하는 경우까지 의미한다고 볼 수는 없는 것이므로 원심의 판단에 형법 제12조에 정한 강요된 행위나 기대가능성에 관한 법리오해의 위법이 있다 할 수 없다.

위와 같은 대법원의 입장을 통해 알 수 있는 바와 같이 형법 제12조는 책임이 조각되는 행위의 범위를 저항할 수 없는 폭력이나 방어할 방법이 없는 협박에 의한 경우로 한정하고 있기 때문에 현행법의 해석상 성장 과정에서 잘못 형성된 사고방식에 따라 범죄를 저질렀다는 이유로 처벌을 피하는 것은 가능하지 않습니다. 위 판결이 선고된 때로부터 30년이 넘는 시간이 흐른 현재 시점에서도 다른 결론을 기대하기는 어렵습니다. 물론 구체적인 사안에 따라서 이러한 결론이 가혹하게 느껴질 수 있습니다. 그러나 형사처벌의 존재 이유가 절대적인 진실을 밝혀 절대적인 정의를 실현하는 것을 목적으로 아니라 사회의 유지를 위한 최소한의 공존 조건을 실현하기 위한 것이기 때문입니다. 그렇다면 불행한 성장 과정으로 범죄를 피한다는 목적 달성에 방해가 되는 알고리즘이 형성되어 있다면 그 알고리즘을 변경할 수 있는 방법을 찾아야 한다는 결론에 이르게 됩니다.

호르몬의 영향력

마음 속에 분한 마음을 품고 있는 한 분노는 사라지지 않을 것이다. 분한 마음을 잊는 순간 분노는 사라질 것이다.

Anger will never disappear so long as thoughts of resentment are cherished in the mind. Anger will disappear as soon as thoughts of resentment are forgotten.

Buddha

앞서 살펴본 바와 같이 현재까지 밝혀진 인간 뇌의 특성에 비추어 인간을 디폴트 모드와 자율주행 모드의 기능을 갖추고 외부 자극에 대해 성장 과정에서 형성된 알고리즘에 따라 반사적으로 대응하는 유전자 보존 로봇으로 이해할 수 있습니다. 하지만 인간은 살아있는 유기체로서 신체 내에 분비되는 호르몬의 강력한 영향을 받아 행동하게 된다는 점에서 컴퓨터나 전형적인 의미의 로봇과 결정적인 차이가 있습니다.[52] 따라서 인간을 조금 더 온전하게 이해하기 위해서 호르몬이 인간에 미치는 영향력에 대해서도 살펴볼 필요가 있습니다.

인간의 몸 속에는 50 종류가 넘는 많은 수의 호르몬이 분비되는 것으로 알려져 있습니다. 대표적인 예를 들자면, 일명 행복 호르몬으로 불리는 도파민Dopamine, 세로토닌Serotonin, 옥시토신Oxytocin이 있고, 스트레스 호르몬인 코르티솔Cortisol과 아드레날린Adrenaline 등이 있는데, 이 중 특히 도파민이 범죄행위 등 인간의 행동에 강하게 영향을 미치는 것으로 알려져 있습니다.

이러한 호르몬이 인간에게 미치는 메커니즘의 한 예로 투쟁 회피 반응fight or flight response을 들 수 있습니다.[53] 투쟁 회피 반응은 외부 위험에 직면한 경우 위험에 맞서 싸우거나 위험으로부터 재빨리 도망갈 수 있도록 하는 신체의 준비반응을 의미합니다. 진화론적 입장에서는 인간의 선조들이 사나운 맹수 등 외부 위험을 인식하는 순간 신체의 모든 기능을 위험에 효과적으로 대응하는데 사용할 수 있도록 함으로써 생존 가능성을 높이도록 진화 발전해 온 결과 현재 인간도 투쟁 회피 반응을 보이게 된 것으로 설명합니다. 예를 들면, 시야에 자신을 해칠 수 있는 맹수를 발견했다면 맹수와의 거리에 따라 도망가거나 맹수에 대항하는 행동 중 어느 하나를 재빨리 취해야 살아 남을 수 있는 확률이 높다는 뜻입니다. 이런 긴급 상황에서는 고차원적인 사고 작용을 담당하는 대뇌 특히 전두엽 피질prefrontal cortex 보다 원시적인 뇌에 속하는 편도체amygdala가 주도권을 지고 당면한 위험에 신속하게 대처하는 것이 효율적일 수 있습니다. 국가로 비유하자면, 긴급사태가 발생한 경우에는 헌법 제77조에 따라 평시에 거쳐야 하는 통상적인 절차를 모두 생략해서 최대한 신속하게 사태를 해결하는 것이 효율적이라는 것입니다.

이처럼 인간이 호르몬의 지배로 인하여 범죄행위에 이르게 되는 경우도 있다는 사정이 형사처벌 과정에서 반영되기도 합니다. 첫 번째는 최근 법개정으로 삭제된 형법 제251조의 영아살해죄입니다. 이 죄는 직계존속이 치욕을 은폐하기 위하거나 양육을 할 수 없음을 예상하거나 특히 참작할 만한 동기로 인하여 분만중 또는 분만 직후의 영아를 살해한 경우 성립하는 범죄였습니다. 영아살해죄를 살인죄에 비해 가볍게 처벌했던 이유는 산모가 분만 직후 호르몬의 강력한 영향 하에 영아를 살해한 것을 두고 일반 살인죄와 동일하게 취급하는 것은 부당하다고 보았기 때문이었습니다.[54] 그러나 저항능력이 없는 영아를 두텁게 보호하기 위해서 2023년 8월 8일 형법 개정을 통해 삭제되었기 때문에 향후에는 일반 살인죄와 동일한 법률에 따라 처벌되겠습니다.

두 번째는 직접 법률상의 근거는 없으나 판례상 감형을 인정하는 월경전 증후군Premenstrual syndrome의 경우입니다. 월경전 증후군은 월경기 후반부 동안에 일상적 활동을 방해할 정도의 신체적, 정신적 행동증상이 나타나는 것을 말하는데, 그 원인이 명확히 밝혀진 것은 아니지만 세로토닌 등 호르몬 분비의 변화도 하나의 원인인 것으로 알려져 있습니다.[55] 이와 같이 호르몬 분비의 변화가 원인이 된 월경전 증후군으로 인하여 범죄를 범한 것으로 인정이 되면 법원에서도 심신미약 상태에서 범죄를 저지른 것으로 보아 감형을 인정하고 있습니다. 최근에도 절도죄로 세 번 이상 징역형을 선고받고 그 형의 집행 종료 후 3년 내에 다시 시가 52,000원 상당의 남성용 런닝셔츠 3매를 가방에 넣어 가지고 갔다는 혐의로 기소된 사안에서 법원은

다음과 같이 판시한 바 있습니다.[56]

국립나주병원장의 신체감정 회보서에 의하면, 감정의는 피고인이 기존에도 수 차례 월경전 증후군 및 주요우울장애 등으로 불규칙적으로 정신과 치료를 받아왔고, 현재 지속성 우울장애의 주요우울삽화 증상으로 인해 긴장감이 고조되면 이로 인해 병적 도벽이 발생하고 그에 대해 해리성 기억상실 증상이 발생한다고 되어 있어 이 사건 범행이 피고인의 위 병명에 부합하며, 위 증상은 약물치료 및 정신치료를 받아야 할 정도라고 감정하였는바, 피고인은 이 사건 범행 당시 병적 도벽으로 심신미약의 상태에 있었다고 봄이 타당하다.

그러나 월경전 증후군으로 진단받은 사실이 있다는 점을 활용하여 마치 자신의 절도행위가 호르몬의 영향으로 인해 불가피하게 이루어진 것이라고 주장하면서 감형을 받으려는 시도는 성공하기 어렵습니다. 실제로 월경전 증후군의 영향 하에서 절도죄를 범한 것으로 보기 어려운 사정이 객관적으로 명백한 경우에는 감형을 기대하기 어렵습니다.[57]

원심이 적법하게 채택하여 조사한 증거들에 의하면, 피고인이 불안, 우울, 충동조절장애 등의 증상으로 2010년 무렵 불안, 우울 기분을 동반한 적응장애 진단을, 2017년 달리 명시되지 않은 우울병 장애, 기타 명시된 불안장애, 월경전 증후군 진단을 받았고, 2010년, 2017년, 2018년, 2020년에 정신과 치료를 받은 사실을 인정할 수 있다. 그러나 위 증거들에 의하면 피고인은 이 사건 각 범행 당시 주변 눈치를 살피면서 빠르게 또는 직원이 볼 수 없는 매장 구석으로 가서 절취품을 가방에 넣거나, 절취품에서 도난방지울림기능이 있는 가격 태그를 제거하거나, 앞의 물건을 절취하면서 뒤에 진열되어 있는 물건을 앞으로 옮기는 등 하였던 사실, 피고인은 거의 1~2주 간격으로 범행하였는바, 범행이 월경과 무관한 것으로 보이는 사정을 알 수 있는바, 이와 같은 피고인의 범행 수법과 간격 등에 비추어 피고인이 이 사건 각 범행 당시 충동조절장애, 월경 전 증후군 등 정신병으로 사물을 변별하거나 의사를 결정할 능력이 미약한 상태에 있었다고 볼 수 없다. 따라서 피고인의 이 부분 주장은 받아들이지 않는다.

유전자의 이기적 행동인 범죄

관대함과 이타주의를 가르쳐 보자. 왜냐하면 인간은 태생적으로 이기적이기 때문이다.

Let us try to teach generosity and altruism, because we are born selfish.

Richard Dawkins

흔히 자연상태를 약육강식의 세계라고 묘사하는 데서 알 수 있는 바와 같이 자연상태에서 생명체들은 그 개체의 생존과 번식이라는 목적을 위해 행동하도록 프로그래밍된 채 태어납니다. 지구상에서 약 40억 년 동안 생명체가 살아오면서 해당 개체의 생존과 번식에 유리한 DNA를 가진 개체는 생존해서 자신의 자손들에게 그와 같은 DNA를 남기고 그렇지 못한 개체는 도태되는 진화 과정을 거친 결과입니다. 쾌快를 좇고, 불쾌不快를 피하는 단순한 알고리즘에 따라 다른 개체의 먹이를 빼앗아 자신의 먹이로 삼을 수 있는 힘이나 지능이 있는 개체가 생존경쟁에서 살아남을 수 있었고, 이런 경쟁에서 살아남은 호모 사피엔스 종인 인간이 현재 지배종支配種이 된 것입니다.[58]

니체는 쾌락주의, 염세주의, 공리주의, 행복주의 등의 철학 사조에 대하여 전적으로 부수적이고 부차적인 것에 불과한 쾌락과 고통을 기준으로 사물의 가치를 측정하는 이 같은 모든 사고방식들은 피상적이거나 천진난만한 사고방식이라고 평가 절하한 바 있습니다. 하지만 오히려 이러한 비판을 통해 인간 역시 쾌快를 좇고, 불쾌不快를 피하는 단순한 알고리즘의 영향으로부터 자유롭지 못하다는 사실을 오래 전부터 스스로 인식해왔다는 점을 알 수 있습니다.[59]

인간이 저지르는 범죄는 일견 범죄자 자신에게는 이익이 되고 범죄 피해자인 타인에게는 피해를 발생시키는 행동이라는 특성을 가지고 있습니다. 대부분의 범죄는 자신의 성욕이나 물욕 등 원초적 욕구와 자신의 이익 등이 침해당했을 때 느끼는 분노 등의 감정이 원인이 되기 때문입니다. 법무연수원에서 발간한 2022 범죄백서에 소개된 2021년 주요 죄명별 형법범죄의 구성비 통계자료에 따르면 욕심 중 물욕에 기인한 범죄로 볼 수 있는 사기죄, 절도죄, 횡령죄의 비중이 각 32.5%, 18.2%, 5.6%로 이들 범죄의 비중을 모두 합하면 56.3%가 되어 전체 범죄의 절반이 넘습니다.[60] 또한 분노에 기인한 범죄로 볼 수 있는 폭행죄, 손괴죄, 상해죄의 각 비중이 각 13%, 5.9%, 3.4%로 이들 범죄의 비중을 모두 합하면 19.3%가 되어 물욕과 분노에 기인한 범죄가 전체 범죄에서 차지하는 비중은 75.6%가 됩니다.[61] 한편, 인간의 다른 원초적 욕구 중 하나인 성욕에 기인한 범죄인 성폭력범죄는 전체 범죄의 3.4%로 비교적 적은 비중을 차지하였으나 암수범죄의 비율이 높은 범죄의 특성상 실제 비중은 훨씬 클 것으로 보입니다.

불교계에서는 탐진치貪瞋癡를 삼독三毒이라고 부르며 인간이 겪게 되는 고통의 근본적인 원인으로 꼽고 있습니다. 여기서 탐貪은 탐욕 또는 욕심, 진瞋은 분노 또는 성냄, 치癡는 어리석음을 각각 의미합니다.

이러한 불교계의 통찰에 따르면 범죄의 원인이 되는 욕심이나 분노는 범죄자 자신에게 이익이 된다기 보다는 오히려 해가 된다는 것입니다. 인간을 유전자 보존 로봇으로 보는 관점에서 보더라도 결론은 다르지 않습니다. 욕심과 분노로 인한 범죄의 결과로 범죄자의 유전자가 살아남아서 증식할 가능성은 커질 수 있을지 몰라도 범죄자가 된 인간 자체에게 궁극적으로 이익이 된다고 보기는 어렵기 때문입니다. 우선 범죄의 주된 원인이 되는 욕심과 분노라는 감정 자체가 고통의 근원이라는 불교계의 통찰을 빌리지 않더라도 그와 같은 감정으로 인해 감정 주체가 겪게 되는 스트레스와 그러한 스트레스가 신체에 미치는 악영향만 생각해보더라도 이익이 될 수 없다는 점을 알 수 있습니다.

비단 이뿐만 아니라 실리적인 측면에서 보더라도 법제도가 정비된 시점 이후부터는 형사처벌이라는 제재로 인해서 범죄로 인해 얻을 수 있는 이익은 크지 않게 되었다고 볼 수 있을 것입니다. 특히, 최소한의 사회적 안전망과 사법시스템이 갖춰진 2020년대 대한민국에서는 대부분의 경우 범죄로 인한 득보다는 실이 크다고 볼 수 있을 것 같습니다.

이러한 점을 종합해보면 유전자 보존 로봇으로서의 속성을 가지는 인간이 범죄를 저지르는 이유는 유전자 보존 로봇이라는 속성으로 인해 생겨나는 분노, 성욕, 물욕에 따라 행동하는 것이 유전자 그 자체가 아닌 특정 인간 자신에게는 해가 된다는 점을 간과하기 쉽기 때문이라고 이해할 수 있습니다. 이하에서는 범죄행위의 원인이 되는 물욕, 성욕, 분노가 범죄자가 원해서 만들어내는 것이 아니라 범죄자의 의도와 관계없이 만들어진 것으로 보아야 한다는 생각을 살펴보겠습니다.

만들어진 물욕

희열에 대한 인간의 기본적 반응은 만족이 아니라 더 많은 것에 대한
갈구이다. 따라서 인간이 아무리 많은 것을 얻더라도 커지는 것은
갈망뿐이지 만족이 아니다.

*The basic human reaction to pleasure is not satisfaction, but rather
craving for more. Hence, no matter what we achieve, it only increases our
craving, not our satisfaction.*

Yuval Noah Harari

앞서 살펴본 바와 같이 물욕에 기인한 범죄는 2021년 기준 전체 형법 범죄의 절반을 넘게 차지할 만큼 큰 비중을 차지하고 있습니다. 유전자 보존 로봇으로서의 생명체는 생존에 필요한 물질에 대한 욕구를 가지도록 프로그래밍되어 있고 그럼으로써 생존과 번식의 확률을 높이고자 합니다. 그렇다면 물욕 자체가 나쁘다고 볼 수는 없고, 생존을 위해 필요하기도 합니다. 문제는 물욕에 지배당해서 고통받게 되거나 물욕으로 범죄를 저지르게 되어 형사처벌까지 받게 되는 정도에 이르는 경우입니다.

물욕으로 인한 고통은 어린 아기들이 자신이 갖고 싶은 물건을 손에 넣지 못하는 상황에서 보이는 고통에 찬 표정을 보면 쉽게 알 수 있습니다. 어른이 되면 자신의 감정을 어린 아기들처럼 겉으로 표현하지는 않게 되지만 내면적으로 고통을 겪거나 고통을 억눌러 느끼지 못할 뿐인 상태가 되기도 합니다. 나아가 물욕으로 인해 범죄를 저지르게 되는 상황에 이른다면 형사절차를 겪는 과정에서 또 다른 차원의 현실적인 고통을 느끼게 됩니다.

생존에 필수적이지 않은 재화에 대한 물욕은 비교적 최근에 만들어졌다고 볼 수 있습니다. 농경사회가 시작된 이후 잉여 농작물이 발생함에 따라 재화나 부의 축적이 가능해지기 전에는 그러한 물욕의 대상

자체가 존재하지 않았기 때문입니다. 이렇듯 잉여 재화가 생겨남에 따라 만들어진 물욕은 인간이 축적할 수 있는 재화의 양이 기하급수적으로 늘어남에 따라 이에 비례해서 커지고 있습니다.

또한 인터넷 등 정보통신의 발달에 따라 한 국가 내에서 또는 전세계에서 가장 재산이 많은 사람의 순위 등에 대한 정보가 넘쳐나고, 각종 SNS 등의 매체를 통해 부의 과시 또는 비교 풍조가 범람하는 인터넷 시대의 새로운 현실도 새로운 형태의 물욕을 만들어 내는 데 큰 몫을 담당하고 있습니다. 이와 같이 만들어진 물욕에 저항하지 못하고 지배당할 경우 절도, 사기, 횡령 등 다양한 형태의 재산범죄의 유혹에 빠지게 되고, 이에 따라 형사처벌까지 받게 되는 상황에 처하게 되고 맙니다.

그렇다면 이렇게 만들어진 물욕에 지배당하지 않을 수 있는 방법에는 어떤 것들이 있을까요? 우선 자신이 느끼는 물욕의 뿌리를 찾아볼 필요가 있습니다. 자신이 느끼는 물욕이 자신이 만든 것이 아니라 제3자에 의해서 만들어진 것일 가능성이 높기 때문입니다. 이는 앞서 언급한 인터넷 시대의 현실과 깊이 관련됩니다. 현대 자본주의 사회에서는 그 체제의 속성상 방송, 인터넷, SNS 등 거의 대부분의 매체들은 인간의 물욕을 자극하는 경쟁을 피하기 어렵습니다. 따라서 이러한 시대를 살아가는 인간이 느끼게 되는 물욕은 이러한 경쟁 속에서 무의식적으로 심어진 것일

가능성이 높습니다. 따라서 물욕에 지배당하지 않기 위해서 가장 먼저 할 일은 자신이 느끼는 물욕이 자신이 만든 것인지 아니면 다른 곳에서 만들어진 것인지를 판별하는 일이 되어야 하겠습니다.

두 번째로는 물욕으로 무언가를 소유하게 됨으로써 발생하는 결과에 대해서 생각해 볼 시간을 가질 필요가 있습니다. 법률적으로는 무엇인가를 소유하게 되면 취득세 등 세법상 정해진 납세의무를 이행해야 하는 결과가 발생하고 경우에 따라 조세불복 소송에 휘말리게 되기도 합니다. 나아가 이러한 과정을 모두 거쳐 많은 부를 축적하게 되더라도 종국적으로 사망에 따른 상속재산에 대한 분쟁이 발생하는 경우도 많습니다. 무엇인가를 소유하게 된 법률적인 결과는 이러한 두 가지 예에 한정되지 않습니다.

한편, 물욕으로 인한 소유가 내면에 미치는 영향에 대해서도 생각해 볼 필요가 있습니다. 법정 스님은 무엇인가를 갖게 되면 거기에 얽매이게 되기 때문에 결국 가진다는 것은 주객이 전도되어 가짐을 당하는 것과 같다는 가르침을 주신 바 있습니다.[62] 이러한 가르침을 자신이 처한 현실에 적용해보면 물욕의 지배에서 벗어날 수 있는 열쇠를 찾을 수 있을지도 모릅니다. 그렇다고 무소유를 지향해야 한다는 의미는 아닙니다. 다만, 물욕으로 인해 괴로움을 느끼게 되지 않을 정도가 어디까지인지 생각을 해 볼 필요가 있다는 의미입니다.

자본주의 사회에서 경제적 부가 주는 이점이나 효용은 말로 표현하기 어려울 정도입니다. 따라서 앞선 방법들은 물욕의 지배에서 벗어나는데 도움이 되지 않을 가능성이 높습니다. 그렇다면 물욕이 물욕의 목표인 경제적 부의 달성에 도움이 되는지 여부에 관점에서 생각해볼 필요가 있습니다. 이와 관련된 가벼운 사례를 소개합니다.

일본 프로야구 선수 출신으로 2018년 미국 메이저리그에 진출하여 미국 프로야구 역사를 다시 쓰고 있는 오타니 쇼헤이 선수에 관한 이야기입니다. 오타니 선수는 2023년 소속팀이었던 LA에인절스로부터 받는 연봉 3천만 달러를 포함한 총수입이 약 6천5백만 달러로 알려져 있을 만큼 천문학적인 부를 축적해나가고 있습니다.[63] 얼핏 생각하면 오타니 선수의 이와 같은 부의 축적은 누구에게도 지지 않는 물욕이 원동력이 된 것이 아닌가 생각할 수도 있습니다. 하지만 실제로는 물욕의 지배를 받지 않았기 때문에 역설적으로 막대한 부를 축적해 나가고 있습니다.

오타니 선수는 언론 인터뷰를 통해 본인 스스로의 입으로 자신이 물욕이 없다고 밝혀 왔고, 이를 뒷받침해주는 여러 에피소드들이 알려져 있습니다. 중학교 시절 부모님이 수학여행에 가서 쓰라고 주신 용돈을 남겨 부모님께 다시 돌려드리는 등 어렸을 때부터 물욕에 지배당하지 않는 성향을 보였고, 프로에 입단해서 수십 억의 연봉을 받게 된 이후에도 수입을 전부

부모님께 맡겨 본인은 한 달에 10만 엔의 용돈을 받으면서 그 중에서 1만 엔 정도만을 사용한 결과 2년간 용돈을 모아 저축한 돈이 200만 엔 정도가 되었다는 일화는 유명합니다.[64]

오타니 선수는 일본 프로 야구 데뷔 3년차였던 2015년에 연봉으로 1억 엔을 수령하였고, 5년차였던 2017년에는 2억7천만 엔을 수령할 정도로 능력을 인정받고 있었습니다. 그런 그가 포스팅 시스템상의 제한에 따른 대폭적인 연봉 삭감을 감수하고 2018년 메이저리그 진출을 선언했습니다. 결국 오타니 선수의 2018년 연봉은 자신의 일본 프로야구 3년차 연봉보다 적은 54만5천 달러이었고, 2019년 연봉도 직전 년도와 큰 차이가 없는 65만 5천달러였습니다.[65] 이와 같이 큰 폭의 연봉 삭감을 감수하고 세계 최고의 야구선수가 되겠다는 자신의 목표 달성을 위해 모든 노력을 아끼지 않은 결과 2021년과 2023년 2번이나 만장일치로 아메리칸 리그 MVP로 선정된 메이저리그 역사상 최초의 선수가 되었습니다. 그 결과 2023년에는 소속 구단으로부터 우리 돈 약 430억 원인 3천만 달러를 지급받게 되었고, FA자격을 얻은 2024년에는 10억 달러에 이르는 세계 스포츠 역사상 최고 금액의 계약을 체결할 것이라는 전망까지 나오기까지 했습니다.

이와 같이 천문학적인 금액의 부와 전세계적인 명성을 얻은 오타니 선수가 고액 연봉을 받으면서 단순히 돈을 쓰지 않고 모으기만 하는 것도 아닙니다. 자신의 전담통역사 결혼선물로 신혼여행 비용을 전부 부담하는가 하면 2021년 홈런 더비 우승 상금 15만 달러 전액을 소속팀 직원들 30명에게 전달했으며, 초대형 FA계약을 앞두고 있는 2023년 11월에는 일본 전국 2만 개 초등학교에 60억 원 상당으로 추정되는 야구 글러브 6만 개를 기증하는 등 자신이 아닌 다른 사람들을 위해서는 아낌 없이 베푸는 모습을 계속해서 보여주고 있습니다.[66]

비록 2023년 시즌 후반 부상이라는 악재가 발생하여 당초의 전망에 미치지는 못했지만 오타니 선수는 결국 LA다저스와 2024년부터 10년간 총 연봉 7억 달러라는 세계 스포츠 역사상 최고 금액의 계약을 체결했습니다.[67] 축구스타 메시가 FC바르셀로나와 계약을 체결할 때 세웠던 기록을 깬 것입니다. 이와 같은 전대미문의 계약 체결의 이면에는 또 다른 전대미문의 계약 내용이 포함되어 있었습니다. 연평균 7천만 달러의 연봉 중 계약 기간 내에 해마다 지급받는 금액은 2백만 달러에 불과하고 나머지 6천8백만 달러는 계약이 종료되는 2034년부터 10년간 이자 없이 후불로 지급한다는 내용입니다. 메이저리그에서 다년간의 고액 연봉계약을 체결함에 있어서 총 계약 금액의 20% 내지 30% 정도를 후불로 지급하기로 하는 계약 사례는 있었지만 계약금액의 97%를 후불로 지급하는 계약은 전례가 없는 것으로 알려져 있습니다. 더욱 놀라운 것은 금전적으로 절대적으로 불리한 내용의 이러한 계약 조건을 먼저 제안한 쪽은 LA다저스 측이 아니라 오타니 선수 본인이었다는 점입니다. 오타니 선수가 이런 제안을 한 이유는 팀이 자신에게 너무 많은 금액을 지급하게 됨으로써 다른 우수한 선수들을 영입하는데 지장이 생기지 않도록 하기 위해서였습니다. 그리고 이러한 계약체결의 교섭 과정에서 오타니 선수는 돈을 생각하는 것은 바보 같다는 말까지 남겼다고 합니다.[68] 인간의 원초적 본능인 물욕이 강력하게 작용하기 쉬운 이와 같은 초대형 계약을 체결하는 상황에서도 오타니 선수는 다시 한 번 물욕이 없다는 자신의 말을 입증하는 말과 행동을 보여주었습니다.

결국 물욕은 인간의 뇌에 프로그래밍된 결과로 볼 수 있으므로 인간이 물욕을 느끼는 것은 당연한 현상이고, 물욕을 반드시 부정적으로 볼 것도 아닌 것 같습니다. 그러나 물욕의 노예가 되어 범죄를 저지르는 데까지 나아가게 되는 정도라면 그러한 물욕은 인간을 고통에 빠뜨리는 원인일 뿐입니다. 뿐만 아니라 그러한 물욕에 지배당할 경우 오히려 근시안적인 사고를 하기 쉬워져 오히려 경제적인 부를 달성하려는 목표에 장애가 될 수도 있습니다. 이런 생각들을 기초로 만들어진 물욕의 지배에서 벗어날 수 있는 자신만의 방법을 찾아야 하겠습니다.

만들어진 성욕

남자의 성욕은 그의 정신세계의 최고 정점에까지 미친다.

The degree and kind of a man's sexuality reach up into the ultimate pinnacle of his spirit.

Friedrich Nietzsche, Beyond Good and Evil

2022 범죄백서에 따르면 형법범죄 중 2021년 형법범죄 중 성폭력범죄는 전체 범죄 건수 917,787건 중 32,862건으로 전체 형법범죄에서 차지하는 비율은 3.6%였던 것으로 집계되고 있습니다.[69] 앞서 언급한 바와 같이 단순 수치만 놓고 보면 성폭력범죄가 전체 범죄에서 차지하는 비중이 적은 것으로 보일 수 있으나 성폭력범죄의 경우 그 범죄의 특성상 피해자가 피해신고를 하지 않아 집계가 되지 않는 암수범죄Hidden Crime 비율이 높다는 점에서 실제로는 성폭력범죄가 전체 범죄에서 차지하는 비중이 위 통계수치보다는 훨씬 높을 것으로 보입니다. 또한 성폭력 범죄자의 전과 횟수 구성에 대한 통계자료를 보면 비전과자, 전과 1범, 전과 2범, 전과 3범, 전과 4범 이상의 비율이 38.8%, 11.2%, 6.7%, 4.4%, 17.3%로 집계되는데, 성범죄 전과가 없었던 성폭력 범죄자의 비율이 40%에 육박할 정도로 높아 살인, 강도, 방화의 경우 24.5%, 24.6%, 23%로 25%를 넘지 않는 여타 범죄에 비해 비전과자에 의한 성범죄 비율이 높다는 점이 특징입니다.[70] 또한 2022년 통계자료에 따르면 성범죄자 중 남성이 차지하는 비율은 98.1%였으며, 성매매 강요와 성매매 알선·영업 범죄의 경우와 같은 특정한 성범죄에 한정해서만 여성 범죄자의 비율이 21.1%, 12.2%로 다소 높았습니다.[71]

이와 같은 통계자료를 통해 인간의 유전자 보존 로봇으로서의 속성을 가장 극명하게 보여주는 범죄가 성욕으로 인한 범죄라는 점을 알 수 있습니다. 여성은 신체적 조건으로 인해 수정 이후 직접 태아를 몸 속에서 길러야 할 뿐만 아니라 출산 후에도 오랜 기간 직접 양육의 부담을 지게 되는 경우가 많기 때문에 이러한 양육 과정에서 자신과 장기간 긴밀하고 협조적인 관계를 유지할 남성을 선택하는 것이 유전자 보존에 유리합니다. 이에 반하여 남성은 임신, 출산 및 양육이라는 부담에서 상대적으로 자유롭기 때문에 이성을 선택함에 있어서 여성과 다른 태도를 취할 수 있게 됩니다. 이러한 차이로 인하여 남성이 여성에 비하여 강한 성욕을 가지는 경향성을 띠게 되는데 일반 성범죄자 중 남성이 차지하는 비중이 압도적으로 높게 나는 통계수치는 이러한 경향성과 상관관계가 있는 것으로 보입니다.

성욕으로 인한 범죄에 대한 이해를 위해 먼저 호주에 서식하는 포유동물인 북부 쿠올Northern quoll이라는 동물에 대한 언론 기사를 하나 소개합니다.[72] 이 기사에 따르면 이 동물의 수컷은 더 많은 교미를 위해 잠도 포기한 결과 먹이를 찾거나 포식자로부터 도망가는 것조차 등한시하게 되어 4년까지 생존하는 암컷의 4분의 1에 불과한 1년밖에 살지 못할 만큼 단명하여 이미 멸종 위기에 처해있는 이 동물들의 존속

자체를 위태롭게 한다는 연구 결과가 발표되었다고 합니다. 결국 북부 쿠올은 유전자 보존이라는 사명을 위해 프로그래밍된 성욕으로 인해 정작 자신은 정상적인 수명의 4분의 1밖에 살지 못한다는 것입니다. 이러한 기사를 접하면서 수컷 북부 쿠올의 운명에 안타까움을 느끼게 되는 인간 역시 막상 이러한 성욕의 영향력에서 자유롭지 못한 경우가 많은 것이 현실입니다.

성범죄는 유전자 보존 로봇의 속성을 지닌 인간이 유전자 보존을 위해 프로그래밍된 성욕의 강력한 영향력 하에 저질러진다고 볼 수 있습니다. 구체적인 작용 기제를 살펴보면, 성행위는 마약, 도박 등과 마찬가지로 뇌의 행복 호르몬인 도파민Dopamine 분비를 촉진시키기 때문에 이로 인한 행복감을 다시 맛보고자 하는 욕구인 성욕이 인간으로 하여금 반복적으로 성행위를 하게 만드는 순환구조가 만들어지는 것입니다. 그리고 이를 의식적으로 통제할 수 없는 상태를 일컬어 성중독sex addition이라고 하는 것입니다.

특히 현대 자본주의 사회에서 번창하고 있는 섹스 산업은 이와 같은 인간의 원초적 욕구를 악용하여 보다 많은 남성들을 성중독 상태에 빠뜨림으로써 보다 많은 부의 창출을 도모하고자 합니다. 결국 현대 사회를 살아가는 남성들은 유전자 보존 로봇으로서의 태생적 속성에 더하여 이를 악용하려는 섹스 산업의 번창이라는 대외적 환경의 영향으로 과거에 비해 더욱 쉽게 성중독에 빠지고 이로 인하여 성범죄까지 저지르게 될 가능성이 높아졌다고 할 수 있습니다. 우리 판례에서도 이와 같이 도파민 분비를 자극하도록 설계된 음란 동영상에 중독된 결과 성범죄를 저지르게 된 사례를 쉽게 찾아볼 수 있습니다.

인간을 유전자 보존 로봇이라고 보는 관점에서 이러한 메커니즘을 바라보면 성행위에 대한 도파민 반응을 유도할 목적으로 만들어진 일체의 시청각 매체로 정의할 수 있는 음란 동영상은 컴퓨터의 악성코드나 악성 소프트웨어의 속성을 가지고 있습니다. 원래 악성코드나 악성 소프트웨어는 그 전파의 대상이 되는 컴퓨터의 정상적인 기능을 저해하고 시스템을 비정상적으로 작동하게 만들 목적으로 작성된 코드나 소프트웨어를 의미합니다. 일단 전파 대상이 되는 컴퓨터에 침투하는데 성공하면 컴퓨터의 정상적인 사용을 불가능하게 만드는 특징이 있습니다. 음란 동영상 역시 그 제작자가 의도한 전파 대상인 인간들을 성중독이라는 비정상적인 상태에 빠뜨릴 의도가 있고, 그 의도에 따라 일단 전파 대상이 되는 인간에게 프로그래밍 되어 있는 도파민 반응을 이끌어내는데 성공하면 성중독 상태에서 더 강한 자극을 찾도록 만들어 최악의 경우 성범죄자로 만드는 치명적인 결과를 초래하기 때문입니다.

　바로 그 대표적인 예가 2012년 발생하여 전국민의 공분을 샀던 나주 초등생 성폭행 사건입니다. 이 사건의 항소심 판결문의 다음과 같은 양형조건 관련 판시 내용에서 이를 확인할 수 있습니다.[73]

　피고인은 일자리를 구하러 다니면서 지낸 모텔이나 피씨방 등지에서 여자 아동을 대상으로 한 음란 동영상을 즐겨 보았고, 그로 인해 여자 아동을 상대로 한 성행위를 통하여 성적 욕구를 해소하려는 환상을 가지게 되었다.

　판례도 악성코드 같은 특징을 지닌 음란 동영상이 피고인의 범행에 중요한 원인으로 작용한 것으로 보아 위와 같이 판시한 것입니다. 음란 동영상의 이러한 유해성에 대한 인식은 이 사건 전부터 있어 왔습니다. 2000년에 이미 음란 동영상의 사회적 폐해로 인한 경각심이 높아짐에 따라 청소년의 성보호에 관한 법률이 제정되어 청소년이용음란물의 제작이나 영리 목적 판매·대여·배포 또는 이를 목적으로 한 소지죄에 대한 처벌 규정이 만들어졌습니다. 2008년에는 법률개정을 통해 청소년

이용 음란물의 단순 소지행위도 2천만 원 이하의 벌금에 처하도록 하는 규정이 신설되었습니다. 그러나 이 규정에 따른 실제 기소와 처벌은 이루어지지 않고 있다가 위 사건의 영향으로 2012년 9월에 수원지검에서 아동청소년 음란물 단순 소지자가 처음으로 기소되었습니다.[74] 그리고 2013년 6월에는 아동·청소년의 성보호에 관한 법률 개정으로 종래 벌금형만 규정하고 있던 소지죄에 1년 이하의 징역형이 법정형으로 추가되었고, 2020년에는 소지뿐만 아니라 시청행위에 대한 처벌조항도 신설되는 등 아동·청소년 이용 음란물에 대한 처벌 수위를 높여 음란 동영상의 위험성에 대한 대응 수위가 높아지고 있습니다.

만일 성중독의 정도가 정신과적 질환에 이른 것이라고 의학적으로 증명이 될 경우에는 심신미약 상태 하의 범행으로 인정되어 감형을 받을 여지도 있으나 아래 판결에서 알 수 있는 바와 같이 정신감정을 통한 증명이 이루어지지 않는 한 이러한 심신미약 주장은 받아들여지지 않습니다.[75]

기록에 의하면, 이 법원의 촉탁에 따른 피고인에 대한 정신감정 결과 "피고인은 현재 정신병적 증상을 보이지 않고,

사물변별능력과 의사결정능력이 건재하며, 반사회적 성향(자기중심적이고 규범을 지키지 않으며 타인의 권리를 침해하고 공격적이며 이득을 위해 거짓말을 함)을 보이고 있다. 이 사건 범행 당시에도 피고인은 사물변별능력과 의사결정능력의 장애가 없었다고 추정된다. 피고인의 남성호르몬(testosterone) 혈중 수치가 8.33ng/mL(정상 범위: 2.40 ~ 8.71)로 상승된 수치를 보여 보통의 남성보다 성적 욕구가 강한 것으로 추정되어 재범위험성이 높으므로, 향후 교도소에서 형기를 복역 후에 성충동약물치료(화학적 거세)가 향후 부정 장기간(최소 3년 이상) 필요하리라 사료되고, 정신의학적 진단이 없으므로 치료감호가 필요하지 않다."는 소견이 제시된 사실이 인정되는바, 이러한 사정을 비롯하여 기록에 나타난 제반 사정을 종합하여 보면, 이 사건 범행 당시 피고인이 정신과적 질환으로 인하여 사물을 변별할 능력이나 의사를 결정한 능력이 미약한 상태에 있었다고 보이지 않으므로, 피고인의 위 주장은 받아들이지 않는다.

악성코드에 대응하는 가장 효과적이라고 널리 추천되는 방법 중 하나는 알지 못하는 사람이 보낸 메일을 열어보지 않고 바로 삭제하는 등 악성코드가 아예 컴퓨터에 들어오지 못하도록 진입 자체를 사전에 차단하는 것입니다. 마찬가지로 성욕으로 인한 범죄를 피하기 위해서는 유전자 보존 로봇으로서의 속성에 의해 유도되는 도파민 반응 메커니즘을 인식하고, 컴퓨터 바이러스나 악성코드에 비견될 수 있는 일체의 시청각 정보가 감각기관을 통해 뇌에 진입하는 것 자체를 차단하는 것이 가장 효과적인 방법일 것입니다.

만들어진 분노

고통이 인간을 붙잡고 있는 것이 아니라 인간이 고통을 붙잡고 있는 것이다.

Suffering is not holding you, you are holding suffering.

Buddha

분노로 인한 범죄를 저지르지 않기 위해서는 범죄의 원인이 된 분노를 극복하는 방법을 알아야 합니다. 그럼 인간은 왜 분노란 감정을 느끼게 되는 것일까요? 분노는 자신의 생존과 번식에 불리한 외부 자극에 대한 부정적인 반응 기제로 그러한 불리한 외부 자극을 회피하거나 극복하도록 함으로써 생존과 번식의 가능성을 높여 그 생명체의 유전자 보존 확률을 높이는 역할을 합니다. 예를 들어 먹이를 빼앗긴 동물에게는 분노의 감정이 저절로 생겨나게 됩니다. 마찬가지로 인간 역시 뇌가 불리한 외부 자극이라고 판단을 내릴 경우 반사적으로 분노의 감정을 느끼게 됩니다. 또한 이러한 분노의 감정은 성욕이나 물욕 등 다른 욕구의 충족이 방해를 받거나 좌절될 때도 생깁니다.

형사법정에서는 이와 같은 분노가 원인이 된 폭행, 상해, 모욕 등 다양한 범죄 혐의로 기소되어 재판을 받는 피고인들을 쉽게 볼 수 있습니다. 물론 이러한 사건에서 피고인들의 범죄행위는 아무런 이유가 없었던 경우보다는 피고인들이 느끼기에 부정적인 외부 자극이 있었던 경우가 많이 있습니다. 예를 들어 범죄 피해자가 범죄자에 대한 부정적인 발언이나 욕설 등 직접적으로 범죄자를 자극하는 행위가 있었던 경우도 있고, 단순히 신속하게 비켜주지 않았다거나 차량 운행 중 무리하게 끼어들었다거나 하는 경우와 같이 범죄자를 자극하려는 의도는 없었던 행위가 원인이 되는 경우도 있습니다. 후자의 경우도 그러한 판단의 당부를 떠나서 범죄자의 시각에서는 부정적인 외부 자극이 존재했던 것입니다.

이와 같은 범죄 유형에서는 피고인의 범죄행위가 즉각적으로 그리고 반사적으로 이루어지는 경우가 많습니다. 피고인들이 범행 당시 느꼈던 외부 자극의 부정적인 정도가 실제로 피고인들에게 얼마나 부정적인 영향을 미치는지 여부에 대한 의식적인 검토나 판단이 이루어지기도 전에 범죄행위가 완료되어 버리는 것입니다. 피고인이 그 범죄행위로 기소가 되어 형사법정에 서게 된 시점에서 돌이켜 판단해 보면 그러한 범죄행위를 피하는 것이 피고인에게 훨씬 유리한 결정이었다는 점을 피고인 스스로도 깨닫게 되는 경우가 많습니다.

물론 분노로 인한 범죄가 위와 같이 즉각적이고 반사적으로만 이루어지는 것은 아닙니다. 분노가 피고인의 마음 속에 깊이 뿌리내린 결과 범죄로 이어지는 경우도 있습니다. 살인 등과 같은 중범죄나 특정인을 상대로 장기간에 걸쳐 반복적으로 행해지는 명예훼손 등의 범죄가 이러한 유형의 범죄에 해당합니다. 이러한 범죄 역시 분노의 원래 목표인 불리한 외부 자극을 회피하거나 극복하는 결과를 달성하는 것과는 정반대로 오히려 형사처벌이라는 부정적인 결과만을 초래하는 경우가 대부분입니다.

이와 관련해서 국내에서는 '누가 내 치즈를 옮겼을까'라는 제목으로 번역 출간된 Who moved my cheese?라는 책이 주는 삶에 대한 통찰을 생각해볼 필요가 있습니다. 이 책은 1998년 출간되어 2018년 기준 전세계적으로 3천만 부가 판매되었을 만큼 국적이나 인종을 불문하고 많은 사람들의 공감을 불러일으켰습니다. 이 책은 단순한 뇌 구조를 가진 쥐 스니프Sniff와 스커리Scurry와 발달된 뇌 구조를 가진 작은 인간Littlepeople 헴Hem과 호Haw에 관한 이야기로 그들이 살아가는 세상인 미로에는 누가 주는 것인지 또는 어디서 오는 것인지도 알 수 없는 치즈가 놓여 있고, 그들은 그 치즈에 의존해서 살아갑니다. 그리고 어느 날 치즈의 안정적 공급장소였던 치즈 스테이션 C에서 더 이상 치즈를 발견할 수 없는 상황이 발생하자 위 네 캐릭터들은 각기 다른 대응을 보여줍니다. 수사기록을 통해 증거와 함께 묘사된 피고인들의 범죄행위를 접할 때면 종종 작은 인간Littlepeople 헴Hem과 호Haw가 치즈를 찾기 위해서 벽에 구멍을 내는 장면이 연상되는 경우가 있습니다. 원청업체 직원으로부터 도급계약 중단 통보를 받은 하도급업체 사장이 분노를 이기지 못한 나머지 해당 직원을 살해하거나 연인으로부터 이별 통보를 받고 분노에 차서 그 연인의 가족을 살해한 사례가 그 예들입니다. 이러한 사건에서 당연하게도 피고인들은 범죄행위를 통해 다시 도급계약을 체결할 수 있게 되지도 못했고, 다시 연인과의 관계를 회복할 수도 없었습니다. 헴Hem과 호Haw가 구멍을 뚫는 행위를 통해 다시 치즈를 발견하지 못했던 것과 마찬가지였습니다.

결국 분노로 인한 범죄를 피할 수 있는지 여부는 외부 자극에 따라 자동적으로 생겨나는 분노라는 감정을 객관화시킬 수 있는지 여부에 따라 달려 있다고 할 것입니다. 분노라는 감정을 객관화시킬 수 있는 구체적 방법론에 대해서는 「분노 관리 방법론」이라는 별도의 장에서 자세히 다루도록 하겠습니다.

형법이 상정한 자유의지

인간은 모순된 믿음을 동시에 가질 수 있는 놀라운 능력을 가졌다. 예를 들어, 전능하고 자애로운 신에 대해 믿으면서도 세상의 모든 고통에 대한 이유를 신에게 묻지는 않는다. 또한 법의 관점에서 모든 인간이 동등하고 자유의지를 가졌다고 믿으면서 생물학적으로 인간은 단지 유기체인 기계일 뿐이라고 믿는다.

Humans have an amazing capacity to believe in contradictory things. For example, to believe in an omnipotent and benevolent God but somehow excuse Him from all the suffering in the world. Or our ability to believe from the standpoint of law that humans are equal and have free will and from biology that humans are just organic machines.

Yuval Noah Harari

지금까지 뇌신경해부학, 뇌인지과학, 심리학 등의 연구 결과에 따르면 인간이 유전자 보존 로봇으로서의 속성을 가지고 그로 인해 범죄를 저지르게 되는 것으로 볼 수 있다는 점을 말씀드렸습니다. 그렇다면 이와 같은 태생적 속성에 따라 저질러지는 범죄에 대한 형사처벌을 가하는 실정법적 근거인 우리 형법은 어떤 입장에 서 있을까요?

책임 없으면 형벌 없다Nulla poena sine culpa는 법언法諺이 있습니다. 이 말은 범죄를 저지른 사람이라고 하더라도 범죄에 대한 책임을 지울 수 없다면 형사처벌할 수 없다는 뜻입니다. 여기서 말하는 책임은 무엇을 의미하는 걸까요? 인간의 자유의지를 인정할 것인지 아니면 부정할 것인지에 따라 책임의 의미는 달라지게 됩니다. 자유의지를 인정하는 입장에서는 범죄를 저지르지 않을 수 있었으면서도 범죄를 선택했으니 그에 따른 책임을 져야 한다는 의미에서 책임을 도의적 책임으로 이해하게 됩니다. 그러나 자유의지를 부정한다면 범죄자가 범죄를 선택한 것이 아니라 범죄를 선택할 수밖에 없었다고 보게 되는데, 그럼에도 불구하고 형사처벌을 하는 이유를 범죄라는 사회적 악으로부터 사회를 보호하는 데서 찾게 되므로 형사처벌의 근거로서의 책임을 사회적 책임으로 이해합니다. 우리 형법학계에서는 인간의 자유의지에 관한 철학적 논쟁이 종국적으로 해명 가능하지 않을 뿐만 아니라 형법이론상 반드시 필요한 것이 아니라는 전제하에 인간들의 일반적인 경험에 비추어 볼 때 형법의 영역에서 인간에게 자유의지가 있는 것으로 취급하여도 무방하다는 입장이 우세한 것으로 보입니다.[76]

그렇다면 자유의지에 대해 형법은 어떻게 규정하고 있을까요? 우리 형법에서는 책임의 근거에 대한 직접적인 규정을 두고 있지는 않습니다. 다만, 형사 미성년자와 심신장애로 사물 변별능력이나 의사결정 능력이 없는 자의 행위는 벌하지 않고(제9조, 제10조 제1항), 심신장애로 사물 변별능력이나 의사결정 능력이 없는 자의 행위는 형을 임의적으로 감경하며(제10조 제2항), 청각 및 언어장애인의 행위는 필요적으로 형을 감경하도록 하는 규정(제11조)을 두고 있을 뿐입니다. 이와 같은 형법 규정과 관련해서 대법원은 "형법 제10조에서 말하는 사물을 변별할 능력 또는 의사를 결정할 능력은 자유의사를 전제로 한 의사결정의 능력에 관한 것"이라고 판시하여 자유의지를 인정하는 비결정론의 입장이라고 평가받고 있습니다.[77]

결국 형법학계와 형사 실무는 공히 도의적 책임론의 입장에서 인간의 자유의지를 긍정하는 전제에 서 있다고 할 수 있습니다. 따라서 범죄를 저지르기는 했지만 인간의 자유의지가 없었으므로 책임이 없다는 주장이나 변론으로 우리 형사절차에서 형사처벌을 피할 가능성은 거의 없다고 보아야 할 것 같습니다.

관련해서 피고인이 교도관을 살해했다는 공소사실을 유죄로 인정해 사형을 선고한 1심에 항소한 사안에서 2심이 원심판결을 파기하고 무기징역으로 감형한 판결을 소개합니다.[78]

피고인이 사회적 규범과 의무를 무시하고, 사회와 갈등을 일으키게 된 자신의 행태에 대하여 남을 비난하고 자기를 합리화하는 경향이 강하나, 이는 피고인이 불우한 어린 시절과 순탄하지 못한 군 및 사회에서의 생활 등을 거치면서 얻게 된 '반사회적 인격장애'라는 질환에 따른 것으로 보인다. 피고인이 성격상 결함이 있는 부분에 대한 적극적인 치료를 받고 충분한 지도와 감독이 따른다면 피고인에 대한 교화·개선이 불가능하다고 단정할 수는 없다. 이와 같은 사정에 피고인의 연령, 성행, 환경, 전과, 범행의 동기와 수단, 방법, 범행 후의 정황 등 양형의 조건이 되는 여러 사정들을 종합하여 보면, 원심의 선고형량은 너무 무거워서 부당하다고 인정된다. 따라서 피고인의 이 부분 주장은 이유 있다.

위 판결에서 "불우한 어린 시절과 순탄하지 못한 군 및 사회에서의 생활 등을 거치면서 얻게 된 '반사회적 인격장애'라는 질환에 따른 것"라는 표현을 통해 피고인이 주변 환경의 영향으로 도의적 책임론의 근거인 자유의지 자체를 부정하지는 않으면서도 피고에게 유리한 양형자료로 평가해 사실상 책임을 감경해주는 효과를 인정한 것으로 볼 수 있겠습니다. 그러나 앞서 살펴본 인간의 유전자 보존 로봇으로서의 속성과 뇌의 작동방식을 고려하면 형법학계와 형사실무가 생각하는 자유의지는 실제와는 조금 다른 모습인 것 같습니다.

자유의지의 허와 실

자아는 자신의 집에서 주인이 아니다.

The ego is not master in its own house

Sigmund Freud, Founder of Psychoanalysis.

21세기를 살아가는 인간은 외부의 간섭을 받지 않고 자신의 생각과 행동을 자유롭게 결정할 수 있는 능력을 의미하는 자유의지의 존재를 전제로 유지되는 사회 속에서 살아가고 있습니다. 정치 영역에서의 기본 이념인 민주주의는 사회 구성원 개개인에게 자유의지가 있다는 점을 전제로 1인1표의 동동한 투표권을 부여해서 그 투표 결과에 따라 중요한 의사를 결정하고 하고 있습니다. 또한 경제 영역에서의 기본 이념인 자본주의 역시 자유의지가 굳건한 소비자의 선택에 따라 기업의 흥망, 자본의 흐름이 결정되는 시스템입니다. 이러한 민주주의와 자본주의 사회에서 태어나서 살아온 인간은 스스로의 자유의지에 따라 모든 의사를 결정하고 행동한다는 생각에 대해 의문을 가지기 어려워집니다.

그러나 인간의 자유의지가 실제로 존재하는지 여부에 의문을 가지게 하는 연구 결과가 많이 발표되고 있습니다. 1960년대에 이루어진 실험을 통해 인간이 의식적으로 움직이고자 할 때, 그 동작 이전에 전위電位의 변화가 선행한다는 사실이 뇌파검사를 통해 확인되었습니다. 그리고 이러한 전위의 변화는 준비 전위readiness potential라고 명명되었습니다. 그 후 1983년에 이루어진 신경과학자 벤자민 리벳Benjamin Libet의 실험에 의해 준비 전위가 움직임에 대한 인간의 의식적인 의사결정 시점보다도 선행한다는 점이 확인되었습니다. 이 실험 결과로 인간이 그 존재를 믿어 온 자유의지가 실제로는 존재하지 않는 허상에 불과한 것이 아닌지에 대한 의문이 생기게 되었습니다.

 물론 이 실험결과만으로 자유의지가 허상에 불과한 것이라고 단정짓기는 어렵습니다. 2019년에 이루어진 한 실험에 따르면 자신의 선택에 따라 1,000달러의 기부처가 결정되는 경우와 같은 의미 있는 의사결정에 있어서는 준비 전위가 선행되지 않았으나 자신의 선택과 상관없이 기부처가 결정되는 경우처럼 의미 없는 의사결정의 경우에는 준비 전위가 선행되었다는 실험결과도 보고된 바도 있기 때문입니다.[79] 이러한 실험결과에 따르면 뇌가 의미 있다고 판단하는 의사결정과 그렇지 않은 의사결정에 대한 뇌의 작동방식이 서로 다르다는 해석도 가능합니다.

 이와 같이 자유의지가 실제로 존재하는지 여부에 대해서는 신경과학자들 사이에도 아직 명확하게 결론이 내려지지 않고 있고, 어쩌면 영원히 결론을 찾을 수 없는지도 모릅니다. 그러나 위와 같은 신경과학자들의 실험결과를 통해서 한 가지 분명하게 알 수 있는 사실은 있습니다. 바로 인간이 모든 행동이 의식적으로 이루어지는 것은 아니라는 것입니다. 인간의 뇌는 디폴트 모드 상태에서 항상 각 모듈별로 쉬지 않고 움직이고 있고, 뇌가 특별히 중요하다고 판단하지 않는 결정 사항에 대해서는 의식의 관여 없이 자동적으로 의사결정을 내리고 그에 따른 신체의 움직임까지 이어진다고 볼 수 있습니다.

최근 인공지능 기술의 발달로 특정인에 대한 동영상이나 음성 기록을 기초로 사자死者를 시청각적으로 재현해내려는 시도가 이어지고 있습니다.[80] 이렇게 재현된 망인을 접한 가족들은 마치 망인이 살아 돌아온 것 같은 착각에 빠지게 되기도 합니다. 이러한 기술의 윤리적인 문제점에 대해서는 별론으로 하고, 사자死者의 재현이 가능하게 된 근본적인 원인을 따져보면 인간이 평소에 하는 말과 행동의 패턴을 찾아 알고리즘으로 만들 수 있기 때문입니다. 바꿔 말하면 사람들이 일상생활 속에서 하는 말과 행동 중 뇌에 입력되어 있는 알고리즘에 따라 기계적으로 나오는 말과 행동의 비중이 매우 크다고 볼 수 있는 것입니다.

라마찬드란 박사는 프로이트의 가장 값진 공헌이 인간의 의식적 마음이 단지 겉치레일 뿐이며 두뇌에서 실제로 진행되는 일의 90퍼센트는 우리가 전혀 모른다는 점을 발견한 것이라고 평가한 바 있습니다.[82] 이러한 평가도 위와 같은 맥락에서 이해할 수 있을 것입니다. 결국 자유의지는 그 실체를 완전히 부정할 수는 없다고 하더라도 입헌군주제 하의 왕처럼 실권이 없는 유명무실한 존재일 수도 있는 것입니다.

판단중지와 나 2.0 업그레이드

전장에서 천 명을 천 번 정복하는 것보다 자기 자신을 정복하는 사람이 더 위대하다. 다른 사람이 아닌 자기 자신을 이겨내라.

One who conquers himself is greater than another who conquers a thousand times a thousand men on the battlefield. Be victorious over yourself and not over others.

Buddha

고대 그리스의 회의주의Skepticism 철학에서는 인간의 어떠한 생각에 대해서도 반론이 가능할 수 있다는 인식 하에 판단중지 또는 에포케epoché라는 관념을 도입하였습니다. 어떤 판단도 절대적일 수는 없다는 생각에 기초한 것입니다. 인간의 판단은 그 인간이 처해있는 구체적인 상황의 영향을 받지 않기 어렵기 때문입니다. 인간이 범죄를 저지를 때는 의식하지 못하는 경우가 많겠으나 뇌 속에서 이루어지는 일련의 프로세스가 먼저 선행하기 마련입니다. 예를 들어, 분노에 의해 범죄를 저지르게 될 때는 그 전에 어떤 외부 자극에 대한 반응으로 분노의 감정을 느끼게 되는 프로세스가 자동적으로 진행되는데 이를 넓은 의미에서 판단이라고 부를 수도 있을 것입니다. 성욕이나 물욕에 의한 범죄의 경우도 마찬가지입니다. 따라서 범죄를 저지르지 않기 위한 방법을 찾는 첫 걸음은 일단 외부 자극에 대한 일체의 프로세스를 우선 중지해야만 하는 것입니다.

앞서 살펴본 바와 같이 인간의 행동은 유전자 보존 로봇이라는 태생적 속성과 성장 과정에서의 형성된 알고리즘에 의한 제약 등으로 인해 자유의지의 존재를 긍정한다고 하더라도 실제 행동에 미치는 영향력은 매우 작다고 보아야 합니다. 따라서 범죄의 원인이 되는 분노, 물욕, 성욕 등에 따라 이루어지는 현재의 프로세스에 대한 의식적인 검토가 필요합니다. 판단중지를 통해 검토 및 확인한 현재 나 자신의 프로세스를 '나 1.0'으로 비유한다면 분노, 물욕, 성욕 등 범죄의 원인이 되는 원초적 감정에 지배당하지 않는 프로세스로 업그레이드가 이루어진 상태를 '나 2.0'으로 부를 수 있습니다.

비정상적인 호르몬 분비로 인한 행동 통제 불능이 문제되는 상황이라면 의식적인 검토에 따른 이와 같은 업그레이드 자체가 불가능할 것이므로 약물치료 등의 의학적 도움이 필요할 수도 있습니다. 하지만 그 정도에는 이르지는 않아서 성장과정에서 형성된 알고리즘에 문제가 있다는 판단이 선다면 그러한 알고리즘 변경을 통해 프로세스 업그레이드 작업을 해야 합니다. 어떤 알고리즘을 어떻게 변경할 것인지는 많은 경우의 수가 있을 것이므로 각자의 구체적인 상황에 맞는 답을 찾을 수밖에 없을 것입니다.

다만, 한 가지 공통적으로 적용될 수 있는 과정은 판단 중지 상태에서 스스로를 객관화해서 외부자극에 대한 자신의 반응을 우선 지켜보는 데서 출발하는 것입니다. 물론 인간의 뇌는 약 천 억 개의 뉴런들로 방대한 양의 경험 데이터를 처리하고, 그 과정에서 수많은 알고리즘이 활용된다는 점을 고려해보면 자신의 뇌라고 하더라도 그 작동방식을 이해하기는 어렵습니다. 그러나 범죄의 주 원인이 되는 분노, 물욕, 성욕이라는 세 가지 잣대를 기준으로 단순화시켜 이해해 볼 수는 있습니다.

예를 들어 각 잣대를 0부터 10까지 단계로 나누어 최고치인 10은 유전자 보존 로봇으로서의 최초 설정에 따라 구동되는 상태인 것으로 보고, 최저치인 0은 그러한 설정에서 완전히 벗어난 상태인 것으로 상정해보는 것입니다. 이러한 가정에 따라 세 가지 잣대의 모든 수치가 10인 경우에는 아래 그림에서 가장 큰 삼각형을 이루어 유전자 보존 로봇으로 프로그래밍된 바를 충실하게 이행하는 상태가 됩니다. 이 상태에서는 범죄를 저지르게 될 가능성이 높아집니다.

반대로 모든 수치가 0인 경우는 삼각형의 중심에 하나의 점으로 표현되는 상태가 되는데 이런 상태라면 유전자 보존 로봇으로서의 설정에서 완전히 벗어나 궁극의 경지에 이른 것으로 볼 수 있습니다. 이 상태에서는 범죄를 저지를 가능성은 극히 희박해집니다.

한편, 세 가지 잣대의 수치가 중간인 5가 되는 경우는 평균적인 인간의 상태로 볼 수 있습니다. 유전자 보존 로봇으로서의 속성에 대한 어느 정도 통제가 가능하지만 범죄적 충동을 자극하는 외부 자극들이 불리하게 결합되는 상황이 발생하면 범죄로 나아가게 될 가능성도 있는 상태로 생각해 볼 수 있습니다.

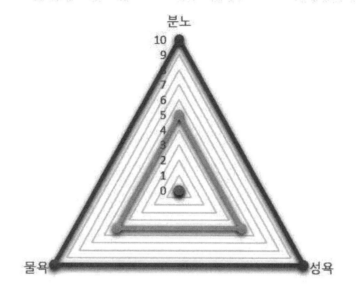

이와 같은 생각의 틀 속에서 자신이 각 잣대의 어느 수치에 해당하는지 스스로 평가해본 다음 그 수치를 줄이는 과정이 바로 '나 2.0 업그레이드'인 것입니다. 이러한 과정 속에서 범죄의 원인이 되는 알고리즘을 찾아내야 합니다. 예를 들어 보통 사람들은 분노를 느끼지 않는 외부 자극에 대하여 반사적으로 분노의 감정을 느끼고 표출하는 나 자신을 발견한다면 그러한 반응은 어디에서 유래한 것인지 그 원천을 찾아야 합니다. 그리고 그러한 반응을 자신의 일부로 받아들일 것인지 고민해보아야 합니다. 만일 받아들이지 않겠다면 바꿔야 합니다. 물론 컴퓨터 프로그램이나 핸드폰 시스템 업그레이드처럼 버튼 하나만 누르면 되는 것은 아닙니다. 불가능하다고 느낄 수도 있을 것입니다. 하지만 불가능하지 않습니다.

인간의 뇌는 신경가소성neuroplasticity라는 특징을 가지고 있기 때문입니다. 가소성可塑性이란 단어의 중간 글자인 소塑는 흙을 빚는다는 의미를 가지고 있는데, 흙을 빚어 그 모양을 변화시킬 수 있는 것처럼 뇌가 변화에 대한 유연성을 가지고 있다는 뜻입니다. 영국 런던 유니버시티 대학교의 한 연구진은 런던의 택시기사들이 런던 지리에 관한 엄청난 양의 지식을 암기하게 된 결과 그러한 기억과 관련된 뇌의 영역인 해마가 일반인들에 비해 크다는 사실을 발견했습니다.[82] 뇌를 어떻게 사용하느냐에 따라 물리적인 크기마저 변할 수 있다는 것입니다. 이러한 특징에 따라 시냅스synapses라고 불리는 뇌 속 뉴런들 사이의 연결은 사용하면 할수록 강해지고 사용하지 않으면 약해지게 됩니다. 이러한 뇌의 특징을 활용해서 성장과정 속에서 형성된 알고리즘을 의식적으로 변경하는 것이 가능한 것입니다.

평소 건강에 대해 특별한 의식 없이 살다가 건강에 이상이 생겨 병원을 찾아 각종 검사를 받고 나서야 비로소 건강에 해로운 식습관과 생활습관을 인식하게 되는 경우가 있습니다. 그렇게 되면 자신의 건강에 나쁜 습관을 미리 깨닫고 고치지 못했던 과거를 후회하게 됩니다. 예를 들어, 뇌졸증이 발병하고 나서야 뇌졸증의 원인이 된 흡연, 과음, 고지방 식단 등 나쁜 습관을 지적받고 나서야 그러한 습관을 고쳐야겠다는 다짐을 하게 됩니다.

뇌 속 알고리즘에 대한 인식 역시 크게 다르지 않습니다. 뇌 속 알고리즘이 형성되는 단계에서는 자아의 발달이 성숙하지 못한 단계이기 때문에 알고리즘 형성에 자주적으로 관여하기 어렵습니다. 물론 자아가 성숙한 단계에서 자신의 알고리즘을 점검하고 개선 또는 변경할 수 있는 여지가 생기지만 이미 익숙해진 알고리즘을 점검하겠다는 생각 자체를 하기가 어렵습니다. 만약 모범적인 양육자 덕분에 처음부터 완벽한 형태로 알고리즘이 만들어져 있다면 그러한 필요가 없겠지만 모든 인간이 그러한 행운을 누릴 수 있는 것은 아닙니다. 그렇기 때문에 우선 자신의 알고리즘을 알기 위한 노력부터 필요하게 됩니다.

소크라테스가 했던 말로 유명한 '너 자신을 알라'는 격언은 신성한 아폴로 신전에 새겨 놓을 정도로 고대 그리스에서 깊은 공감을 받았던 것 같습니다. 이 격언을 어떻게 이해할 것인지에 대해서는 다양한 해석이 가능하겠지만 자신의 알고리즘이 어떤 모양을 하고 있는지 인식하는 것이 어렵다는 의미로 이해해 볼 수도 있습니다. 이와 같이 자신의 알고리즘을 인식하는 것조차도 어려운 일일진데, 하물며 문제가 있는 알고리즘을 찾아내어 변경하는 것은 더 어려운 일이 될 수밖에 없을 것입니다. 평소에 운동을 하지 않다가 갑자기 운동을 하게 되면 근육통을 느끼게 됩니다. 이러한 근육통은 일반적으로 근육 조직에 미세한 손상이 발생하거나 근육 내 신경압박으로 발생하는 것으로 알려져 있고 보통의 경우 특별한 치료 없이도 통증이 없어지는 경우가 보통입니다. 다시 말해 근육 강화의 긍정적 신호인 것입니다. 이러한 근육통을 느끼게 된다고 하여 운동을 중단하게 되면 신체의 변화를 기대하기는 어렵습니다.

알고리즘의 변경 과정도 기본적인 원리는 같습니다. 의식적으로 오래 전에 형성되어 익숙해진 알고리즘을 변경하려고 할 경우 어색하거나 불편하게 느껴질 수도 있고 그 이상의 견디기 어려운 감정을 경험하게 될 수도 있습니다. 그러나 이를 극복하지 않으면 나 2.0 업그레이드는 어려워질 수밖에 없습니다. 여러 종교에서 추앙받으시는 분들은 그러한 경지에 도달하기 위해 상상하기 어려운 노력을 기울이신 경우가 많습니다. 예를 들어 성철스님의 경우 10년간 눕지 않고 참선을 하는 장좌불와의 수행을 해내셨고, 독보적인 깨달음의 경지에 이르신 것으로 평가받고 있습니다. 이러한 경지는 비유하자면 버전 무한대의 업그레이드가 이루어진 상태라고 말할 수 있을 것입니다. 이 정도의 노력과 경지까지는 아니더라도 나 2.0 업그레이드에 성공할 수 있다면 적어도 형사처벌로 인한 고통을 피할 가능성이 높아지게 될 것입니다.

빅데이터 통제

아무리 성능이 좋은 컴퓨터라도 조잡한 데이터로는 조잡한 결과를
얻을 수밖에 없다.

*No matter how powerful a computer you have, if you put lousy data in
you will get lousy predictions out.*

Stephen Hawking, Brief Answers to the Big Questions

프랑스 변호사였던 앙뗄므 브리야사바랭Anthelme Brillat-Savarin은 1826년 그의 저서 입맛의 생리학Physiologie du gout에서 '무엇을 먹었는지 말해주면, 당신이 어떤 사람인지 말해주겠다' Dis-moi ce que tu mange, je te dirai ce que tu es고 말했고, 이 문장은 나중에 영어로 번역된 이후 유명해지게 되었습니다.[83] 이 말은 먹는 음식에 따라 체지방이 늘어나거나 콜레스테롤 수치가 높아지는 등 신체 구성이 변하기도 한다는 의미로 이해할 수도 있고, 또는 음식을 고르는 입맛을 근거로 그 사람의 경제력이나 취향을 알 수 있기도 하다는 의미로 이해할 수도 있습니다.

그러나 범죄를 저지르지 않기 위해 자신을 나 2.0 버전으로 업그레이드해야 한다는 관점에서 보면 먹는 것이 아니라 보고 듣는 것이 곧 그 사람을 결정한다고 할 수 있겠습니다. 인간이 보고 듣는 것이 인간의 판단과 그에 기초한 행동에 미치는 영향은 생각 이상으로 클 수 있습니다. 시각과 청각 등 오감을 통한 경험은 기억이라는 형태의 데이터로 인간의 뇌에 저장됩니다. 그리고 이렇게 저장된 방대한 양의 빅데이터는 디폴트 모드에서 뇌 속 천 억 개의 뉴런들이 끊임없이 연결하고 정리하면서 알고리즘을 형성하거나 수정하는데 영향을 미치고, 자율주행 모드에서 이루어지는 행동의 직접적인 원인이 되기도 합니다. 직업이 간호사인 사람이 지하철이나 버스에서 갑자기

쓰러진 승객에게 응급조치를 해서 생명을 구했다거나 직업이 형사인 사람이 근무 중이 아닌데도 우연히 마주친 범행 현장에서 범인을 검거했다는 기사를 언론에서 종종 접하게 됩니다. 이러한 행동은 축적된 경험이라는 빅데이터로 인해 두뇌가 자율주행 모드 상태에서 기계적·반사적으로 작동하는 긍정적인 예라고 할 수 있습니다. 반대로 우발적으로 범죄를 저지르게 되어 형사처벌을 받게 되는 경우는 자율주행 모드 상태에서 두뇌가 작동하는 부정적인 예라고 하겠습니다.

물론 우발적으로 범죄를 저지른 경우에는 아래 판례에서 보는 바와 같이 미리 치밀하게 계획된 범죄에 비해서는 가볍게 처벌을 하는 감경 양형사유로 보고 있기는 합니다.[84]

다만 피고인은 이 사건 범행을 모두 인정하고 반성하는 태도를 보이고 있고, 과거에 형사처벌을 받은 전력이 전혀 없다. 피고인은 술에 만취한 상태에서 우발적으로 이 사건 범행을 저지른 것으로 보인다. 피고인은 이 법원에 이르러 2022. 12. 9. 시행된 형사공탁의 특례에 따라 피해자를 위하여 5,000만 원을 공탁하는 등 피해 회복을 위한 진지한 노력을 기울였다. 이러한 사정들을 비롯하여 피고인의 나이, 성행, 환경, 범행의 동기, 수단과 결과, 범행 후의 정황 등 기록에 나타난 여러 양형조건을 종합적으로 고려하여 보면, 원심법원이 피고인에게 선고한 형은 너무 무거워서 부당하다고 판단된다. 따라서 피고인의 위 주장은 이유 있다.

그러나 평소 보고 들으면서 축적해왔던 빅데이터의 종류가 달랐더라면 이와 같은 우발적 범행을 피할 수 있었을 것입니다. 위와 같이 우발적 범행이라는 이유로 감경이 인정되는 경우가 있기는 하지만 형사처벌을 피할 수 있는 것이 아니라 처벌 수위가 조금 낮아진다는 의미일 뿐입니다. 나아가 빅데이터는 우발범행뿐만 아니라 계획범행에 대해서도 영향을 미친다고 보아야 합니다. 따라서 범죄를 피하기 피해서 평소 보고 듣는 것을 통해 축적되는 빅데이터를 통제할 필요에 대해서는 아무리 강조해도 지나침에 없다고 할 것입니다.

인간이 살면서 보고 듣는 등의 경험이라는 빅데이터가 자율주행모드에서의 행동을 결정하는 중요한 역할을 한다는 점은 고대부터 인간의 통찰에 의해 인지되어 왔습니다. 맹자의 어머니가 자식 교육을 위해 3번 이사를 했다는 내용의 고사성어인 맹모삼천지교孟母三遷之敎는 원래 교육에 미치는 주위 환경의 중요성을 역설하는 말입니다. 하지만 성년이라고 하더라도 평소에 보고 듣는 말과 행동이 주는 영향력이 간과되어서는 안됩니다. 흔히 '부부는 닮는다'는 말을 합니다. 처음부터 비슷한 성격의 배우자를 선택한 경우가 아니었더라도 부부 공동생활을 하는 과정에서 같은 것을 보고 듣는 경험이 축적되는 과정에서 서로 비슷해지게 되는 것입니다. 이와 같이 무의식적으로 다른 사람의 말이나 행동을 따라하게 되는 것을 심리학에서는 미러링 효과Mirroring Effect라고 하는데, 특히 좋지 못한 말과 행동일수록 자극적인 특성으로 인해 더 깊이 각인되어 미러링 효과를 나타내기 쉽습니다. 청소년들 사이에 욕설이나 비속어가 쉽게 퍼지는 이유도 여기서 찾을 수 있습니다. 이러한 미러링 효과의 부정적인 예로 사이버 공간에서 맺어진 인간관계가 범죄로까지 연결되는 경우를 들 수 있겠습니다.

 결국 이와 같은 빅데이터의 악영향으로부터 벗어나기 위해서는 매일 뇌로 입력되는 막대한 양의 빅데이터의 종류와 내용을 통제할 필요가 있습니다. 불교계에서 이루어지는 토굴 수행이나 면벽수행은 이와 같은 빅데이터를 극단적으로 통제해서 외부의 악영향을 철저히 배제한 상태에서 깨달음을 얻을 수 있는 조건을 만든다는 의미로 이해할 수 있습니다. 범죄를 피하기 위한 목적으로 그런 종교적 수행 수준의 통제까지는 필요하지 않겠지만 평범한 일상생활과 조화 가능한 범위

내에서 자신에게 적합한 빅데이터 통제 방법과 수준을 찾아볼 필요는

크다고 볼 수 있습니다.

인간관계 재정립

괴물과 싸우는 사람은 싸우는 과정에서 자신마저 괴물이 되지 않도록 주의해야 한다. 그리고 그대가 오랜 동안 심연을 들여다 볼 때 심연 역시 그대를 들여다 본다.

Whoever fights monsters should see to it that in the process he does not become a monster. And if you gaze long enough into an abyss, the abyss will gaze back into you.

Friedrich Nietzsche, Beyond Good and Evil[85]

형법에서 두 명 이상이 함께 범죄를 저지르는 경우 그 범죄자들을 공범관계에 있다고 표현합니다. 여러 명이 공동의 의사로 범죄를 저지르면 이들을 공동정범이라고 하고, 한 명이 범죄를 저지를 생각이 없었던 다른 한 명에게 범죄의사를 불러일으킴으로써 그 사람이 범죄를 저지르게 되면 전자를 교사범, 후자를 정범이라고 부릅니다. 또한 정범이라고 불리는 범죄자의 범죄행위를 도와준 사람이 있다면 그 사람은 방조범이라고 부릅니다. 그런데 때로는 불행하게도 친구 등 평범한 인간관계가 위와 같은 공범관계로 변모하여 공소장에 기재되는 경우가 있습니다.

제1부에서 소개한 스포츠 토토 사건에서 공범으로 함께 기소된 피고인들은 온라인 게임을 함께 하면서 알게 되었다가 오프라인에서도 만남을 가지게 되면서 교우관계를 형성하였습니다. 그러던 중 한 명이 아르바이트 내지 취직 자리를 주선한다며 스포츠 토토 도박개장 가담에 권유하였고, 범죄에 가담한다는 생각보다는 쉬운 돈벌이 정도로 가볍게 생각하면서 차례차례 그 권유에 응하여 모두 공범이 되었고, 대부분 짧지 않은 실형을 선고받은 전과자가 되었습니다. 위 피고인들 중 누구도 처음에는 이와 같이 우연히 같은 지역에서 같은 시기에 온라인 게임을 한다는 공통분모로 형성된 인간관계가 공법관계로 귀결될 것이라고는

예상하지 못했을 것입니다. 이와 같은 결과를 피하기 위해서는 어떤 사람들과 친밀한 인간관계를 유지할 것인지에 대해서 보다 신중을 기할 필요가 있을 것 같습니다.

이와 같이 성인이 되어서 자신이 선택할 수 있는 인간관계로 인하여 함께 공범이 되는 것을 피하기는 상대적으로 쉬운 편에 속합니다. 때로는 선택할 수 없는 인간관계 속에서 벌어지는 범죄는 그 해결이 어려워질 수밖에 없습니다. 이에 대한 이해를 돕기 위해 대한민국 모든 형법 교과서에 정당방위와 관련하여 소개되고 있을 뿐만 아니라 성폭력특별법 제정에도 영향을 준 대표적인 판례 사안을 소개합니다.[86] 대략적인 사실관계는 피해자가 자신의 어머니과 재혼한 의붓아버지로부터 12살 때부터 성폭행을 당하기 시작해서 대학에 진학한 이후에도 성폭행이 지속되자 남자친구와 함께 의붓아버지를 살해했다는 것입니다.

대법원은 피고인들의 살인행위가 적법행위에 대한 기대 가능성이 없거나 정당방위나 과잉방위에 해당한다는 피고인들의 주장에 대해서 다음과 같이 판시하였습니다.

피고인이 약 12살 때부터 의붓아버지인 피해자의 강간행위에 의하여 정조를 유린당한 후 계속적으로 이 사건 범행무렵까지 피해자와의 성관계를 강요받아 왔고, 그 밖에 피해자로부터 행동의 자유를 간섭받아 왔으며, 또한 그러한 침해행위가 그 후에도 반복하여 계속될 염려가 있었다면, 피고인들의 이 사건 범행 당시 피고인의 신체나 자유 등에 대한 현재의 부당한 침해상태가 있었다고 볼 여지가 없는 것은 아니나 그렇다고 하여도 판시와 같은 경위로 이루어진 피고인들의 이 사건 살인행위가 형법 제21조 소정의 정당방위나 과잉방위에 해당한다고 하기는 어렵다.

정당방위가 성립하려면 침해행위에 의하여 침해되는 법익의 종류, 정도, 침해의 방법, 침해행위의 완급과 방위행위에 의하여 침해될 법익의 종류, 정도 등 일체의 구체적 사정들을 참작하여 방위행위가 사회적으로 상당한 것이었다고 인정할 수 있는 것이어야 할 것인데, 피고인들이 사전에 판시와 같은 경위로 공모하여 범행을 준비하고, 술에 취하여 잠들어 있는 피해자의 양팔을 눌러 꼼짝 못하게 한 후 피해자를 깨워 피해자가 제대로 반항할 수 없는 상태에서 식칼로 피해자의 심장을 찔러 살해한다는 것은 당시의 상황에 비추어도 사회통념상 상당성을 인정하기가 어렵다고 하지 않을 수 없고, 피고인들의 범행의 동기나 목적을 참작하여도 그러하므로, 원심이 피고인들의 판시 행위가 정당방위에 해당한다거나 야간 기타 불안스러운 상태 하에서 공포, 경악, 흥분 또는 당황으로 인하여 그 정도를 초과한 경우에 해당한다는 피고인들의 주장을 배척한 조처도 정당하고, 거기에 소론과 같은 법리를 오해하거나 채증법칙을 어긴 위법이 있다고 할 수 없다.

정당방위의 성립요건으로서의 방어행위에는 순수한 수비적 방어뿐만 아니라 적극적 반격을 포함하는 반격방어의 형태도 포함됨은 소론과 같다고 하겠으나, 그 방어행위는 자기 또는 타인의 법익침해를 방위하기 위한 행위로서 상당한 이유가 있어야 하는 것인데, 피고인들의 판시 행위가 위에서 본 바와 같이 그 상당성을 결여한 것인 이상 정당방위행위로 평가될 수는 없는 것이므로, 원심이 피고인들의 이 사건 범행이 현재의 부당한 침해를 방위할 의사로 행해졌다기 보다는 공격의 의사로 행하여졌다고 인정한 것이 적절하지 못하다고 하더라도, 정당방위행위가 되지 않는다는 결론에 있어서는 정당하여, 이 사건 판결의 결과에 영향이 없는 것이다.

위 대법원 판례는 현재로부터 약 30년 전에 내려졌기 때문에 현재 동일한 사안에 대한 판결이 내려진다면 다소 다른 내용의 판결이 내려질 가능성도 있지만 적법행위에 대한 기대가능성이 없다거나 정당방위가 인정된다는 등 위 판결과 정반대의 결론을 기대하기는 어려울 것 같습니다. 결국 위 사안과 같이 선택 불가능했던 인간관계가 원인이 되어 범죄를 저지르게 된 안타까운 사례에서도 법은 언제나 범죄행위가 아닌 법적 절차에 따른 해결을 요구한다는 점을 염두에 두어야 하겠습니다.

마지막으로 위와 같은 극단적인 사례는 아니더라도 직장 상사와 부하 관계, 학교 교우관계 등에서 벌어지는 다양한 형태의 범죄 등 가해행위에 대한 반작용으로 이루어지는 폭행, 모욕, 명예훼손 등이 범죄행위로 문제되는 경우를 흔히 볼 수 있습니다. 제도적으로는 이러한 문제를 예방하기 위해서 근로기준법 제76조의 2와 제76조의 3에서 근무장소의 변경 등을 통해 가해자와 피해근로자를 분리하도록 하는 의무를 사용자에게 부과하고, 학교폭력 예방 및 대책에 관한 법률 제17조에서는 학급교체, 전학, 퇴학 등의 처분을 통해 피해학생을 보호하는 입법조치가 이루어져 있기는 합니다.

그러나 현실적으로 위와 같은 법률 규정이 모든 문제를 해결해줄 것으로 기대하기는 어렵습니다. 이와 같이 범죄행위를 유발하는 다양한 상황이 존재하기 때문에 모든 상황에 대처 가능한 대응방법을 말씀드리는 것도 불가능합니다. 다만, 한 가지 말씀드릴 수 있는 것은 가해자의 심리에 동화되어 범죄의 길로 들어서지 않도록 주의할 필요가 있다는 점입니다.

그리고 가해자에 대한 분노의 감정을 현명하게 다스리면서 합법적인 문제 해결의 방법을 찾아야 하겠습니다.

악성코드 침입 방지

인간은 이제 거대한 뇌 속의 뉴런처럼 인터넷으로 연결되어 있다.

We are all now connected by the Internet, like neurons in a giant brain.

Stephen Hawking

2023년 10월 24일 미국의 41개주와 워싱턴 DC는 페이스북에서 이름을 바꾼 기업인 메타Meta를 상대로 소를 제기했습니다. 소장에는 메타가 경제적 이익을 극대화하기 위하여 최신 기술을 이용하여 십대 청소년들과 어린이들이 페이스북과 인스타그램에 중독되도록 플랫폼을 설계하는 한편 13세 이하 어린이들에 대한 정보를 부모 동의 없이 정기적으로 수집했다는 내용이 포함되어 있었습니다.[87] 나이 어린 사용자들을 중독되게 하는 구체적인 방법은 도파민 반응Dopamine response을 유도하여 주기적으로 플랫폼에 접속하게 만드는 한편 일단 접속한 사용자들은 해당 플랫폼에 최대한 오랜 시간 머물게 만든다는 것입니다.[88] 이와 같은 설계에 따른 플랫폼이 인간에게 유해한 이유는 해당 플랫폼들이 접속자로 하여금 특정 영역에서 접속자보다 나아 보이는 다른 누군가와 자신을 끊임없이 비교하게 만들어 질투심이나 소유욕 등 각종의 부정적인 욕구를 자극하는 한편 자존감을 저하시키기 때문입니다. 여기서 부정적인 욕구의 자극은 무의식의 영역에서 일어나기 때문에 어른들도 이러한 사실을 알아차리기 어렵다는 점에서 문제의 심각성이 있습니다.

더 큰 문제는 비단 메타만이 이러한 인간의 무의식을 겨냥해서 각종 욕구를 자극하는 것이 아니라는 점입니다. 미국인들은 하루 평균

4,000에서 10,000개의 광고에 노출되고 있는 것으로 추산되는데, 미디어가 발달한 우리 나라도 크게 차이가 나지 않을 것으로 보입니다. 현대 자본주의 사회를 살아가는 인간들이 매일 접하는 이와 같이 많은 수의 광고는 무의식을 자극하여 특정 상품에 대한 선호도를 높이려는 의도를 가지고 만들어집니다. 이러한 광고 속에 숨겨진 무의식적 메시지subliminal message는 인간의 뇌 속에 침투하여 인간의 행동에 실질적인 영향을 미칩니다.[89] 이와 같이 방송, SNS 등 자본주의 사회에서 만들어지는 거의 모든 매체들은 영리를 극대화하기 위한 목적을 가지고 있고, 이러한 목적을 달성하기 위해서는 유전자 보존 로봇으로서의 인간의 식욕, 성욕, 물욕과 같은 기본적인 욕구를 무의식적으로 자극하는 전략을 취하기 마련입니다. 따라서 청소년이나 어린이 등은 물론이고, 성인이라고 하더라도 이와 같은 각종 매체들의 부정적 영향에서 벗어나기 위해서 이러한 매체들에 노출되는 정도를 적정 수준으로 관리할 필요가 있다고 할 것입니다.

방송 등 언론을 통해 보도되는 범행수법을 그대로 답습하는 모방범죄는 물론 N번방 사건 등 최근 SNS를 통해 성욕 등 기본적인 욕구를 자극해서 많은 가해자와 피해자가 양산되는 사례를 통해 알 수 있는 바와 같이 각종 매체의 발달로 인한 부작용은 기하급수적으로 커져가고 있습니다.

메타 사례에서 알 수 있는 바와 같이 인간들은 의식하지 못하는 사이에 인공지능 알고리즘을 이용하여 유도해내는 도파민 반응에 중독되어 각종 인터넷 플랫폼에 습관적으로 접속하는 스마트폰 좀비가 되기 쉽습니다. 이런 상황에서 더 강한 자극을 통한 쾌감을 추구하는 악순환에 빠지게 되면 어느 순간 범죄자 신세로 전락할 수도 있습니다. 이와 같은 플랫폼의 악영향에서 벗어날 수 있는 가장 효과적인 방안은 스마트폰이나 PC 등을 통해 플랫폼에 노출되는 시간을 필요 최소한의 수준으로 유지하는 것입니다. 장시간 플랫폼에 노출된 상태에서는 인간의 필요에 의한 정보가 아니라 플랫폼이 제공하려고 의도한 정보가 뇌로 흘러들어갈 가능성이 높아지기 때문입니다. 이와 같이 플랫폼 접속 시간을 줄여서 확보한 시간에 디폴트 모드를 긍정적인 방향으로 작동되도록 만들어줄 유익한 데이터를 뇌에 공급할 필요가 있습니다.

유익한 데이터의 원천 중 최고로 꼽을 수 있는 것은 책입니다. 인간 뇌로 취합되는 데이터는 직접 경험과 간접 경험을 통해 얻어집니다. 이 중 직접 경험은 다른 인간과의 관계 속에서 이루어지는데 인간관계는 선택에 의해 변경하기 어려운 경우도 많아서 노력에 의해서 직접 경험을 통해 유익한 데이터를 얻기란 쉽지 않습니다. 그렇다면 간접 경험을 통해 유익한 데이터를 얻을 수 있는 방법을 찾아야만 합니다. 현대 사회에서 간접 경험은 크게 인터넷과 책의 두 가지 매체를 통해 이루어지는 경우가 많습니다. 인터넷은 세상의 거의 모든 정보에 대한 접근을 가능하게 한다는 점에서 유용합니다. 그러나 그 과정에서 인터넷 플랫폼의 설계에 따라 불필요하거나 유해한 데이터가 뇌로 유입될 가능성이 많기 때문에 유익한 데이터의 주된 원천으로 삼기는 곤란합니다. 그렇기 때문에 책을 유익한 데이터의 원천 중 최고로 꼽을 수 있는 것입니다. 인간관계라는 직접 경험을 통해 얻을 수 있는 유익한 데이터가 상대적으로 부족한 경우에도 자신의 노력으로 책이라는 간접경험을 통해 그 부족분을 채우는 것이 가능해집니다.

물론 책에서 유익한 데이터를 얻는 것이 쉽지 않을 수 있습니다. 스마트폰이라는 강력한 경쟁자가 있기 때문에 책과 친해지는 것 자체가 어렵게 느껴질 수 있기 때문입니다. 따라서 대체제라고 할 수 있는 스마트폰에 대한 경쟁력을 확보하기 위한 방법이 필요하게 됩니다. 이러한 방법은 정답이 있는 것이 아니므로 자신에게 맞는 방법을 찾는 노력을 기울여야 합니다.

참고로, 여기서 2가지 정도의 방법을 소개해드리겠습니다. 첫째로는 책과의 물리적 거리를 좁히는 것입니다. 대체제인 스마트폰을 항상 곁에 두는 경우가 많기 때문에 책도 스마트폰처럼 가까이 두어야 경쟁력이 확보될 수 있는 것입니다. 따라서 자신이 생활하는 공간에 평소 관심을 가지고 있는 주제의 책을 배치해 둔 다음 자연스럽게 손이 갈 수 있는 환경을 만들어 둔다면 말 그대로 책에 한 걸음 더 다가갈 수 있게 됩니다.

둘째로는 책을 접하는 방식을 자유롭게 하는 것입니다. 책은 처음부터 끝까지 정독해야 될 것만 같은 선입견을 갖기 쉬운데 이 때문에 오히려 책을 멀리하게 될 수 있기 때문에 이러한 선입견을 버리는 것이 좋습니다. 스마트폰에서 정보를 얻을 때는 처음부터 끝까지라는 개념 자체가 없습니다. 그저 자신이 필요한 정보를 찾거나 플랫폼이 유도하는 정보로 따라가게 될 뿐입니다. 따라서 책을 접할 때도 자유로워질 필요가 있습니다. 목차를 보고 특히 관심이 가는 부분을 찾아서 읽어보거나 무작위로 책장을 넘기다가 관심이 가는 부분을 먼저 읽어보는 것입니다. 난해한 책일수록 이런 접근 방식이 책과 친해지는 유용한 방법이 될 수 있습니다.

이와 같은 다양한 방법을 통해 유익한 데이터를 뇌 속에 주입함으로써 디폴트 모드가 긍정적으로 작동할 수 있는 여건이 만들어 질 수 있습니다. 이러한 태도가 습관으로 굳어지게 된다면 적어도 도파민 반응을 유도하는 악성코드에 의해 만들어진 욕구 때문에 범죄를 저지르게 될 가능성은 낮출 수 있게 될 것입니다.

생각, 말 그리고 행동 통제

말하기 전에 3가지 관문을 통과해야 한다.
말하고자 하는 바가 사실이 아니고, 좋은 말도 아니며 필요한 말도
아니라면 도대체 왜 그런 말을 하는가?

Before telling me anything, let's put it through the triple filter test.
Well, if what you want to say is not true, not good, nor useful, then why
say it at all?

Socrates

불교계에서는 선업을 쌓아야 윤회의 굴레에서 벗어나 영원한 평안이나 완전한 평화를 의미하는 열반 nirvana 에 이를 수 있다고 말합니다. 여기서 선업은 자신과 남에게 이익이 되는 청정한 생각, 말, 행위 또는 탐욕과 노여움과 어리석음이 없는 생각, 말, 행위 등으로 정의됩니다.

앞서 살펴본 바와 같이 뇌의 특징인 디폴트 모드는 오감을 통해 뇌에 입력되어 저장된 기억이라는 형태의 빅데이터를 기반으로 작동합니다. 따라서 유전자 보존 로봇으로서의 속성인 각종 욕구와 분노를 자극할 수 있는 악성코드의 침입을 통제할 필요성이 크다는 점을 강조한 바 있습니다. 그런데 빅데이터에는 외부 자극만이 포함되는 것이 아닙니다. 빅데이터의 수집 주체인 인간 자신이 하는 생각, 말, 행동 역시 뇌에 기억되고 저장되는 빅데이터의 대상이 되고 오히려 강도 면에서는 외부 자극에 비해서 디폴트 모드의 작동에 더 큰 영향을 미칠 수 있습니다.

인간이 다른 동물과 가장 구별되는 특징은 언어를 사용한다는 점입니다. 인간과 계통적으로 가까운 영장류들과 인간을 구별짓는 가장 큰 차이도 언어라고 할 수 있을 것입니다. 이러한 특징으로 인해서 언어로 이루어지는 생각과 말이 인간의 뇌에 저장되는 빅데이터에서 차지하는 비중은 절대적이라고 할 수 있습니다.

어린 아이가 언어를 배우는 과정은 다른 사람의 언어 사용을 그대로 흉내 내는 것에서부터 시작합니다. 이러한 언어 습득 과정에서 단순히 단어의 사전적 의미만이 뇌 속에 저장되는 것이 아닙니다. 그 단어가 주는 감정이나 느낌이 함께 저장됩니다. 예를 들어, 아이에게 인상을 잔뜩 찌푸리며 부정적인 감정을 실어 '응가'라는 단어를 알려주면 아이는 그 단어를 들었을 때 전달받은 감정과 함께 단어를 기억하게 되는 것입니다. 따라서 이와 같이 부정적인 감정과 결부된 단어나 말을 나중에 스스로 하게 되면 단순히 단어나 말의 의미만 전달하는 것이 아니라 그 감정을 함께 표출하게 되는 것입니다. 이러한 과정의 연장선상에서 부정적인 말과 행동을 하면 할수록 그와 결부된 부정적인 감정이 두뇌 속에 강하게 자리잡게 되어 의식에 영향을 미치게 되는 것입니다. 결국 학습을 통해 의미를 알게 된 단어라도 그 단어를 사용하지 않으면 그 단어와 결부된 감정은 무의식unconscious mind 속에 자리잡고 있을 뿐이지만 그 단어를 선택해서 말로 옮기는 과정을 거치면서 그 단어와 결부된 느낌이나 감정이 전의식preconscious mind을 거쳐 의식conscious mind의 영역으로 이동하게 되어 화자話者의 알고리즘 자체나 디폴드 모드의 작동에 강하게 영향을 미칠 수 있게 됩니다. 선업의 중요성을 강조하는 불교계의 가르침은 이런 관점에서 이해해 볼 수 있습니다.

이와 같이 언어가 사고에 미치는 영향에 대한 연구결과를 하나 소개하면 다음과 같습니다. 시카고 대학 연구팀은 2개 국어를 구사하는 사람들을 대상으로 한 실험에서 모국어가 아닌 언어로 생각할 때 보다 이성적인 결정을 내리는 경향을 보인다는 연구결과를 발표하였습니다.[90] 모국어가 영어이면서 일본어를 배워서 구사할 수 있는 121명의 미국인을 대상으로 한 첫 번째 실험에서는 환자들의 3분의 1만을 확실히 살릴 수 있는 치료약과 환자들 전부를 살릴 수 있는 확률이 3분의 1인 치료약 중 어떤 약을 선택할 것인지에 대한 질문이 영어로 주어진 경우에는 약 80%가 피실험자들의 환자들의 3분의2의 확정적 죽음을 감수해야 하는 첫 번째 치료약을 선택한다고 답변했으나 살 수 있는 환자보다 죽는 환자에 초점을 맞춘 변형된 질문에 대해서는 그 답변 비율이 47%로 감소하였다는 것입니다. 반면 외국어인 일본어로 질문이 주어지자 질문 형식에 상관없이 첫 번째 치료약을 선택하는 비율이 40% 전후로 동일하였다고 합니다. 모국어가 한국어이면서 영어를 구사하는 피실험자들을 대상으로 한 두 번째 실험에서는 작은 손실을 감수하고 큰 이익을 얻을 수 있다면 그러한 선택할 것인지를 묻는 한국어 질문에 그렇다고 응답한 비율이

57%였던 반면 영어 질문에 대해서는 67%가 그렇다고 답변하였다고 합니다. 이와 같이 언어에 따라 답변이 달라지는 이유는 언어와 결부된 느낌과 감정의 정도가 다르기 때문이라고 설명할 수 있을 것 같습니다. 따라서 감정이 덜 결부된 언어를 사용할 때 보다 분석적이고 합리적인 사고가 가능할 수 있게 되는 것입니다.

이와 같이 언어가 인간의 생각과 행동에 미치는 영향은 상상 이상입니다. 따라서 이러한 언어로 이루어지는 생각과 말을 함에 있어 신중을 기해야 합니다. 그럼으로써 뇌 속에 저장되는 빅데이터가 긍정적인 디폴트 모드의 작동을 가능하게 하는 양질의 수준으로 유지될 수 있게 됩니다.

분노 관리 방법론

분노의 감정을 지니고 있는 것은 누군가에게 던질 생각으로 뜨거운 석탄을 쥐고 있는 것과 같다. 화상을 입는 사람은 자기 자신이다.

Holding on to anger is like grasping a hot coal with the intent of throwing it at someone else; you are the one who gets burned.

Buddha

지금까지 살펴본 범죄의 주된 원인인 분노, 성욕, 물욕 중 가장 중요한 원인은 분노라고 할 수 있습니다. 분노는 성욕이나 물욕이 자신이 원하는 만큼 채워지지 않을 때도 생겨나는 것에서 알 수 있듯이 다른 부정적인 감정과 쉽게 결합하여 더 나쁜 결과를 만들어 내기 때문입니다. 예를 들어 강간범이 강간 도중 분노의 감정에 휩싸여 피해자를 살해하면 강간살인죄가 성립하는데 이 경우 형법 제301조의 2에서 법정형을 사형과 무기징역의 단 두 종류만 규정하고 있습니다. 강도범이 강도 범행 도중 분노의 감정에 휩싸여 피해자를 살해하면 형법 제338조에서 강간살인죄와 마찬가지로 사형과 무기징역에 처하도록 규정하고 있습니다.

분노라는 단어가 들어간 분노에 관한 책은 국내에서 출간된 책만 하더라도 수백 권에 이르는데 그 만큼 통제하기가 어려워 모든 인간에게 큰 숙제를 안기기 때문일 것입니다. 성욕과 물욕을 완전히 통제하여 이러한 욕구에서 자유로워지기 보다는 분노라는 감정에서 자유로워지기가 훨씬 어렵고 어쩌면 불가능할지도 모릅니다.

그러나 범죄의 가장 중요한 원인인 분노를 관리할 수 있는 자신만의 관리법을 찾아보려는 노력은 필요하고 이러한 노력을 통해서 분노로 인한 범죄를 피할 수 있는 길을 찾을 수 있습니다. 이 책에서 누구에게나 적용 가능한 분노 관리 방법을 알려드릴 수는 없지만, 그러한 방법을 찾는데 도움이 될 수 있는 짧은 생각들을 말씀해드릴 수는 있을 것 같습니다.

우선, 인간이 사는 세상에 대한 현대 과학의 설명이 분노를 관리하는데 도움이 될 수 있을 것 같다는 생각입니다. 제2부의 첫머리에서 말씀드린 바와 같이 스티븐 호킹의 설명에 따르면 우주는 무에서 창조되었다고 합니다. 결국 인간의 육신의 재료는 물론이고, 물욕의 대상이 되는 이 세상 모든 물건이 모두 무nothingness에서 비롯되었다는 것입니다. 이러한 생각을 머릿속에 담아둔다면 분노라는 감정을 추스르는 데 도움이 될 수 있을 것 같습니다.

두 번째는 무아無我라는 불교계의 가르침에 대한 생각입니다. 여기서 무아는 자신이 존재하지 않는다는 의미가 아니라 세상 만물이 변하는 것처럼 나라는 고정된 실체가 없어서 유동적이고 상대적인 과정으로 이해해야 한다는 의미라고 합니다.[91] 이 말의 진정한 뜻은 알기 어렵지만 과거의 나와 현재의 나는 같은 실체가 아니라는 의미로 이해해볼 수 있을 것 같습니다. 대부분의 인간은 과거의 나와 현재의 나는 같은 실체로 생각하면서 살아갑니다. 하지만 생물학적인 관점에서 볼 때 30조 개가 넘는 세포로 이루어진 인간의 몸은 매일 3천3백억 개의 세포를 교체합니다. 80일 내지 100일이면 인간 몸의 전체 세포수에 해당하는 세포가 교체된다는 의미입니다.[92] 이에 대해서 그런 세포 교체로 동일성이 상실된다고 볼 수 없다는 반론이 가능합니다. 만일 치매 등의 병으로 그와 같은 동일성을 판단하고 인식하는 뇌의 기능이 상실되었을 뿐만 아니라 사고로 외모마저 달라진 경우는 어떨까요? 이와 같이 본인 스스로도 더 이상 동일성을 인정할 수 없는 상황에서도 전지적 시점에서 동일성을 인정해야만 할 것 같은 생각이 드는 것이 인간의 심리입니다. 동일성에 대한 강한 집착이라고 부를 수도 있을 것 같습니다. 물론 이 자체를 나쁘다고 볼 필요는 없습니다. 다만, 이런 경향성이 분노라는 감정과 연결되었을 때 생길 수 있는 부작용에 대해서 인식할 필요는 있을 것입니다. 분노라는 감정은 나라는 인간의 고정된 실체를 전제로 외부 상황과 충돌하게 될 때 생기는 경우가 많기 때문입니다. 그런데 동일성에 대한 집착의 정도를 낮출 수 있다면 과거의 자신과 제3자의 충돌은 현재의 자신과는 무관한 일이 되는 것입니다. 그렇게 되면 분노라는 감정을 피할 수 있는 여지가 생기게 됩니다.

 세 번째는 두 번째 생각의 연장선상에서 변화의 종점이 죽음이고, 그 죽음이 기대보다 멀지 않은 시점에서 찾아오기 마련이라는 생각입니다.

인간이 살아있는 한 유전자 보존 로봇으로서 느끼게 되는 각종 욕구와 분노 등의 감정 자체를 느끼지 않을 수는 없습니다. 그러나 그러한 감정을 죽음이라는 피할 수 없는 확정된 사실에 비추어 본다면 감정의 통제가 보다 쉬워질 수 있습니다. 플라톤의 중기 대화편 중 하나인 파이돈Phaedo에서 소크라테스는 철학을 하는 유일한 목적은 죽어 가는 것과 죽음을 연습하기 위한 것이라고 말했습니다. 반드시 철학을 하지 않더라도 분노의 감정이 다스리는데 위와 같은 생각이 분노를 다스리는데 도움이 될 수 있습니다.

네 번째는 분노라는 감정의 효용성에 대한 생각입니다. 분노라는 감정은 대체로 분노의 대상이 되는 특정된 상대방이 존재합니다. 그러나 자신이 분노의 감정을 가진더라도 분노의 상대방에게는 어떠한 피해도 발생하지 않습니다. 그저 분노의 감정을 가지는 자신에게만 정신적으로 나아가 신체적으로 피해가 발생할 뿐입니다. 이런 점을 생각해보면 오히려 분노의 감정을 가진다는 것은 역설적으로 분노의 상대방이 가장 원하는 바가 될 수도 있는 것입니다.

다섯 번째는 분노의 특성에 대한 생각입니다. 정신적 상처라고 부를 수 있는 분노는 화상이라는 신체적 상처와 비슷한 속성을 가지고 있습니다. 화상을 입었을 때 재빨리 상처 부위의 열기를 식히지 않으면

2도 화상이나 3도 화상으로 상처가 악화될 뿐만 아니라 완전한 회복이 불가능해져서 흉터가 남게 되는 것처럼 분노의 열기도 신속하게 식히지 않으면 점점 강도가 세져서 완전한 회복이 어려워집니다. 이처럼 화상과 유사한 분노의 특성을 항상 머릿속에 염두에 둔다면 분노의 감정에서 벗어나야겠다는 결심을 앞당길 수 있을 것입니다.

여섯 번째는 인간은 로봇으로서의 속성을 가진 존재라는 생각입니다. 2022년 11월 OpenAI사가 개발하여 공개한 채팅 로봇인 ChatGPT은 전세계의 이목을 집중시켰습니다. 이 인공지능 프로그램은 마치 인간과 대화하는 듯한 느낌을 줄 정도로 높은 완성도를 보여 이와 같은 관심을 끌게 되었던 것입니다. ChatGPT 출시 이후 한 가지 특이한 인간의 반응은 ChatGPT로 하여금 욕설 등 금기시되는 언어 사용을 하게 유도하게 하려는 시도가 있었다는 점입니다.[93] 이와 같은 악의적인 시도가 성공하여 ChatGPT가 욕설 등 사용자에게 불쾌감이나 분노를 일으킬 수 있는 언어를 사용했다고 해서 사용자가 불쾌감이나 분노를 느끼지는 않았을 것입니다. 그 이유는 ChatGPT는 프로그래밍된 로봇일 뿐이라고 생각하기 때문입니다. 마찬가지로 인간 역시 유전자 보존 로봇으로 프로그래밍된 존재라고 생각한다면 다른 인간의 말이나 행동에 대해서도 분노를 덜 느끼거나 아예 느끼지 않을 수도 있을 것입니다.

이와 같은 생각들을 통해 분노라는 감정에서 벗어나야 하는 이유나 당위성은 어느 정도 이해할 수 있을 것입니다. 그러나 그렇다고 하여 현실에서 수시로 일어나는 분노의 감정이 바로 통제될 수 있는 것은 아닐 것입니다. 즉, 분노 통제의 당위성과 분노 관리의 방법론은 전혀 다른 차원의 문제이기 때문입니다.

분노의 감정은 의식이 알아차린 다음 없어지라고 명령한다고 바로 없어지지는 않습니다. 오히려 무조건적으로 억눌러진 분노는 암 발병의 원인이 된다는 의학적 연구결과가 보고된 바도 있습니다.[94] 틱낫한 스님은 분노의 감정을 날감자에 비유하여 감자를 익히기 위해서 15분 내지 20분 정도 시간이 걸리는 것처럼 분노라는 부정적인 에너지를 긍정적인 에너지로 변화시키기 위해서 비슷한 시간이 필요하다고 설명하신 바 있습니다.[95]

이와 같은 분노의 특성에 관한 과학적 연구결과도 나와 있습니다. 바로 분노의 90초 법칙입니다. 하버드 의대의 뇌 과학자인 볼트Jill Taylor Bolte 박사에 따르면 대뇌 변연계의 감정 프로그램에 따라 자동적으로 분노 등의 감정이 촉발된 결과 신경전달물질neurotransmitter이 혈관을 타고 온 몸으로 퍼져 나갔다가 사라지는데 90초의 시간이 소요된다는 것입니다.[96] 따라서 적어도 인간의 신체가 화학적으로 분노에 의해 지배를 받는 90초 동안에 신체를 움직이게 된다면 그 움직임은 분노에 의한 범죄가 될 가능성이 높다는 의미가 됩니다. 그렇다면 범죄를 저지르지 않기 위해서는 분노라는 감정을 감지하였다면 적어도 그 감정을 지배하는 신경전달물질이 사라지는데 필요한 90초 간은 일체의 행동을 자제해야 할 것입니다.

 마지막으로 분노의 감정에 지배된 두 인간 상호간의 관계에 대해서 살펴보겠습니다. 이러한 관계는 대체로 분노로 인해 발생하는 범죄의 정형적인 구도에 해당합니다. 여기서 두 인간 중 한 명은 가해자, 나머지 한 명은 피해자가 되기도 하고, 경우에 따라서는 두 명 모두 가해자와 피해자가 되기도 합니다. 이러한 구도 하에서의 인간은 분노로 인해 분비된 신경전달물질이 온 몸에 퍼져 극도의 흥분 상태에 빠져 있게 됩니다. 이러한 상태에서는 의식이 통제권을 가지지 못하기 때문에 신체는 뇌 속에 저장되어 있는 알고리즘에 따라 자율주행 모드 상태에서 범죄로 평가될 가능성이 높은 충돌이 발생하는 것입니다. 국가의 비유를 다시 가져오면 최종 의사결정권자는 전쟁의 의사가 없음에도 비상계엄이 선포된 두 국가 사이에 무력 충돌이라는 불행한 결과가 발생하게 되는 것입니다. 이러한 관점에서 보더라도 분노로 인한 가해자 또는 피해자가 되지 않기 위해서는 90초의 법칙을 지킬 필요가 크다고 하겠습니다.

지금까지 분노 관리의 당위성 및 구체적인 분노 관리의 방법론에 대한 몇 가지 짧은 생각을 정리해보았지만 충분하지도 않고 정답이라고 할 수도 없습니다. 다만 이러한 내용을 참고하여 자신만의 분노 관리법을 찾아내는데 조금이나마 도움이 될 수 있기를 바랍니다.

알아차림 마음챙김

지금 있는 곳에 있지 않으면 삶을 놓치게 된다.

Be where you are; otherwise you will miss your life.

Buddha

숨가쁘게 돌아가는 현대사회의 특징으로 인해 인간의 정신적 위안 내지 안정에 대한 욕구가 커지는 것은 당연한 일일지도 모르겠습니다. 이에 따라 국내외를 막론하고 명상에 대한 관심이 높아지고 있습니다. 명상과 관련하여 국내에서 가장 많이 언급되는 단어 중 하나가 '마음챙김'일 것입니다. '마음챙김'이라는 단어가 들어가는 제목으로 출판된 서적의 수만 하더라도 수백 권에 이를 정도입니다. '마음챙김'이라는 단어는 빨리어pali인 사띠sati가 mindfulness이라는 영어 단어로 번역되었다가 재차 한국어로 번역된 것으로 책에 따라서는 사띠를 알아차림, 지관止觀이나 삼매三昧 등으로 번역하기도 합니다.[97] 사띠의 사전적 정의는 기억, 떠올림 등이라고 하는데, 지금 현재의 느낌이나 감각에 집중해서 경험하고 있는 상태를 온전히 인식하고 알아차리는 것으로 이해됩니다.

 알아차림이나 마음챙김의 대상은 자기 자신입니다. 그런데 너무나 익숙하여 당연히 잘 알고 있을 것으로 생각되는 자신을 아는 것은 쉽지 않습니다. 우선 알아차림이나 마음챙김의 대상인 자신이 무엇인지부터도 알기 어렵습니다. 인간이 유전자 보존 로봇이라는 속성이 있다는 관점에서 보면 알아차림이나 마음챙김의 대상인 자신이라는 존재는 정신 등으로 부를 수 있는 소프트웨어와 육체라고 부르는 하드웨어의 결합 형태로 이루어져 있다고 할 수 있습니다. 또한 앞서 살펴본 바와 같이 정신, 마음 등으로 부를 수 있는 소프트웨어는 의식이라는 단일한 체제를 이루어 육체를 통제하는 것이 아닙니다. 유전자 보존이라는 목적을 위해 설계되어 발전해 온 인간 두뇌의 소프트웨어는 진화 과정에서 업그레이드를 거쳐, 많은 양의 데이터를 처리하면서 다양한 외부 자극에 동시다발적으로 대응할 수 있도록 디폴트 모드가 기본적으로 작동되도록 설정되어 있고, 그에 따라 의식의 개입 없이도 대부분의 외부 상황에 대한 자동적으로 대응이 가능하도록 설계되어 있습니다.

 이러한 소프트웨어의 기본 설계로 인해 의식이 소프트웨어의 기본 모드에 따른 활동 사실 자체를 알아차리기 어려워지는 것입니다. 예를 들어 분노, 성욕, 물욕이라는 원초적이고 본능적인 욕구에 따라 디폴트 모드와 자율주행모드가 작동하여 육체적 활동이 이루어진다는 사실을 알아차리기 어렵습니다. 불교계에서 알아차림 또는 마음챙김을 강조하는 이유는 이와 같은 반사적이고 습관적인 인간 정신 및 육체의 활동 내지 반응 사실을 알아차림으로써 유전자 보존 로봇으로 한계지워진 상태에서 벗어날 수 있다고 해석할 수 있습니다. 이와 같은 알아차림을 나 2.0 업그레이드의 출발점으로 삼을 수 있을 것입니다.

이런 관점에서 보면 종교와 상관없이 진정한 자신을 찾는 알아차림이나 마음챙김에 대한 노력과 실행은 중요한 의미를 가질 수 있습니다. 만일 그렇게 될 수 있다면 단순히 범죄를 회피할 수 있는 방법을 찾는데 그치는 것이 아니라 유전자 보존 로봇으로서의 태생적 속성이나 성장교육과정에서의 주입된 비자발적 알고리즘의 한계에서 벗어나 진정한 자신의 모습을 찾고, 자신이 원하는 삶을 살 수 있게 되지 않을까 합니다.

오직 모를 뿐

나는 우주에 비록 지적 생명체는 흔하지 않겠지만 생명체는 흔하게 있을 것으로 믿는다. 지구라는 행성에도 아직 지적 생명체가 나타나지 않았다고 말하는 사람도 있다.

I believe alien life is quite common in the universe, although intelligent life is less so. Some say it has yet to appear on planet Earth.

Stephen Hawking

인간은 언어와 문자를 발명하여 지식을 공유하고 계승할 수 있게 되면서 40억 년 진화의 역사에서 다른 어떤 종도 이루지 못한 종의 번성을 달성했습니다. 그러나 여전히 인간이 사는 세상에 대해서는 물론 인간의 두뇌의 작동 방식에 대해서 모르는 부분이 훨씬 많습니다. 세상에서 가장 아름다운 이론이라 불리는 상대성 이론을 정립하여 시간과 공간이 각기 독립한 절대적인 개념이 아니라 상호 연관된 시공spacetime이라는 상대적 개념으로 이해해야 한다는 점을 밝혀냄으로써 이 세상에 대한 이해의 차원을 한 단계 높인 아인슈타인조차도 양자세계의 신비를 이해하지 못했고, 수많은 뇌과학자들이 최신 기술을 활용해서 뇌의 신비를 알아내려고 노력하고 있지만 천 억 개의 뉴런으로 구동되는 뇌의 작동방식은 여전히 베일에 싸여 있습니다. 이와 같이 과학기술의 발전으로 지식의 혁신에 혁신을 거듭하고 있는 인간이지만 여전히 이 세상에 대해 모르는 것투성이입니다.

한편, 인간은 자신의 의지와 상관없이 쉴 새 없이 구동되는 디폴트 모드로 인해 뇌 속에서 끊임없이 생각이 일어납니다. 미국 연방 기관의 하나인 미국 국립 과학재단National Science Foundation이 2005년 발표한 연구결과에 따르면 이와 같이 인간의 머릿 속에 떠오르는 생각의 85%는 부정적인 생각이고, 90%가 넘는 생각은 반복적인 생각이라고 합니다. [98]

인간은 왜 이렇게 부정적인 생각을 많이 하게 되는 것일까요? 그 원인과 관련해서 감정적 점화affective priming이라는 개념에 대해 먼저 알 필요가 있습니다. 감정적 점화는 인간이 외부 자극을 인지하는 과정에서 좋다 또는 싫다 등의 감정을 먼저 입히는 작업이 의식conscious mind에 선행한다는 것을 의미합니다. 앞서 언급한 바와 같이 인간이 언어를 배우는 과정은 이런 과정까지 포함하게 됩니다. 진화심리학적 관점에서 보면 이와 같은 감정적 점화를 통해 보다 신속한 외부 자극에 대한 대응이 가능하게 되기 때문에 생존에 유리하였다는 것입니다. 또한 싫다는 부정적인 감정은 주로 위험 자극과 연결되어 있기 때문에 이러한 부정적인 감정에 민감하게 반응할수록 생존 확률은 더 높아지게 됩니다. 이러한 진화 과정 속에서 생긴 경향을 부정 편향negativity bias라고 합니다. 이러한 부정편향으로 인해서 인간은 부정적 생각을 많이 하게 되는 것입니다.

그러나 현대와 같은 문명 사회에서 실질적인 효용성이 낮아진 이와 같은 성향으로 인해 부정적 생각들이 이와 같은 높은 빈도로 뇌 속에서 반복 재생된다면 이러한 생각이 범죄로까지 이어져 형사처벌을 받게 될 가능성은 필연적으로 높아질 수밖에 없습니다. 그렇다면 뇌 속에 입력되는 부정적인 빅데이터의 입력을 최소화하려는 노력 외에 그럼에도 불구하고 떠오르는 부정적 생각에 대처할 수 있는 방법이 필요하다는 결론에 이르게 됩니다.

숭산 스님은 자신의 가르침을 '오직 모를 뿐'이라는 5음절의 짧막한 문구로 압축해서 강조하신 것으로 유명합니다.[99] 이 문구는 불교도가 아니더라도 디폴트 모드에서 재생해내는 부정적인 생각을 다스리는데 유용한 대책이 될 수 있을 것 같습니다.

인간이 홀로 고립되어 생활하지 않는 한 끊임없이 타인과의 접촉을 이어나가게 됩니다. 그 과정에서 자신의 의지와 관계없이 설계되어 있는 하드웨어와 소프트웨어가 작동하면서 그 접촉 과정에서 입력된 모든 외부 자극에 대해서 이해타산 또는 득실을 계산하여 그 결과가 자의식에게 보고됩니다. 그 보고 내용에는 거의 대부분 좋고, 나쁨 등의 감정이 입혀져 있고, 그 감정이 부정적인 경우 내면적으로 우울증 등의 정신질환의 요인으로 작용하기도 하고, 통제되지 않은 채로 발산될 경우 범죄행위로 나아가게 될 수도 있습니다.

과거 인간의 진화단계에서는 이러한 디폴트 모두가 활발하게 작동하는 경우 얻을 수 있는 이점이 단점보다 많았을 것이고 그렇기 때문에 현재 인간이 이러한 작용을 가능하게 하는 유전자를 물려받게 되었습니다.

그러나 인간의 기억에 관한 정점과 종점 법칙Peak-end rule은 디폴트 모드를 억제해야 할 이유를 설명해 줍니다. 1993년 '끝이 좋으면 더 심한 고통이 나을 수 있다When More Pain is Preferred to Less: Adding a Better End'라는 제목의 연구결과를 통해 밝혀진 이 법칙은 인간이 고통의 총합이 더 큰 경험이라고 하더라도 고통의 총합이 더 작은 경험에 비해 마지막 경험이 상대적으로 고통이 적으면 고통의 총합이 더 큰 경험을 더 좋게 기억하는 경향이 있다는 것을 그 내용으로 합니다. 즉, 인간이 경험한 모든 것을 다 기억하고 그에 따라 객관적으로 평가하는 것이 아니라 각 경험의 정점과 마지막 순간에 느낀 감정만을 기억하는 것이 일반적이라는 것입니다. 표현을 달리하면 인간의 기억은 경험의 전체가 녹화된 동영상 아니라 경험의 정점과 종점에 찍어놓은 2장의 사진에 가깝다는 것입니다. 이런 부정확한 데이터를 기초로 디폴트 모드에서 떠오르는 생각의 신뢰성이 높다고 할 수는 없을 것입니다. 특히나 그러한 생각이 부정적인 것이라면 더더욱 그러할 것입니다.

나아가 현재 시점에는 다음 두 가지 이유에서 디폴트 모드의 이점이 단점보다 더 커진 것으로 볼 수 있습니다. 첫 번째 이유는 인터넷 등 매체의 발달로 80억 명이 넘는 전 세계 인구가 국경을 초월하여 긴밀하게 연결된 환경적 변화입니다. 과거 수렵채집 시대에는 평균적으로 최대 150명 정도의 인간관계를 유지하면서 살아간 것으로 알려져 있습니다. 150명과의 인간관계에서 벌어지는 일들의 득실을 따져 이에 대해 일일이 반응하는 것은 그렇게 큰 부담이 되지 않았을 수 있습니다. 그러나 현재 시점에서는 현실세계에서 직접 연결되어 있는 인간관계뿐만 아니라 SNS 등 다양한 인터넷 매체를 통해 엄청난 숫자의 인간들과의 교류가 이루어지고 있기 때문에 그러한 자극에 전체 교류 집단 150명과의 교류 과정에서 발생하는 사건에 대한 반응과 동일하게 반응할 경우 그 자체로 과부하가 걸릴 수밖에 없습니다. 그리고 부정적인 감정을 추스릴 여유도 없이 자동주행모드 상태에서 그 감정을 여과없이 그대로 폭발시킬 가능성이 높아지게 된 것입니다.

두 번째 이유는 현대 사회 특히 현재 대한민국은 법제도 및 사회 안전망 등 사회제도가 상대적으로 잘 구축되어 있기 때문입니다. 디폴트 모드는 태생적으로 생존 확률을 높이기 위한 목적으로 진화 발전해왔습니다. 과거 수렵채집 사회에서는 디폴트 모드가 제대로 작동하지 않을 경우 굶어 죽는 등 생존 그 자체가 위협받는 상황이 발생하였을 것입니다. 그러나 현재 대한민국에서는 예외적인 범죄상황 등을 제외하면 디폴트 모드가 작동하지 않더라도 다른 사람들의 행위가 자신의 생존에 위협을 가하는 수준이 되면 국가가 공권력을 발동해서 제재를 가합니다. 만일 그런 수준까지는 미치지 못하는 경우에는 치명적인 피해가 발생하지는 않았다는 의미이므로 소송 등 법제도를 통해 피해회복을 도모하거나 어느 정도 피해를 감수하는 양자택일의 선택권을 행사할 수 있습니다. 따라서 디폴트 모드가 긴박하게 작동할 필요성이 현저히 낮아진 것입니다.

위 두 가지 이유에서 의식적으로 디폴트 모드를 비활성화시킬 필요가 큰 것입니다. 하지만 문제는 쉬지 않고 작동하는 디폴트 모드를 비활성화시키는 것이 그리 쉬운 일이 아니라는 것입니다. 숭산 스님은 불자들의 마음 속 고통에 대한 호소에 대해 대부분 오직 모를 뿐이라는 마음으로 정진해야 한다고 하시면서 그러한 마음 상태가 무심 또는 원점이라고 하셨습니다.[100] 그 깊은 뜻을 헤아리기는 어렵지만 유전자 보존 로봇으로의 속성에 따른 본능적 욕구들과 성장과정에서 형성된 알고리즘에 따른 자동 반사적 프로세스를 모두 제거한 상태를 무심 또는 원점으로 이해하고 디폴트 모드를 비활성화시키는 효과적인 주문으로 활용해 볼 수 있겠습니다.

길을 지나가다 보면 제3자가 보기에는 사소해 보이는 상황에서 분노에 차서 욕설을 주고 받거나 다툼이 발생하는 경우를 마주하게 되는 경우가 있습니다. 물론 당사자가 되면 분노를 참기 어려운 상황으로 느껴질 수 있습니다. 하지만 그럼에도 불구하고 그 상황이 분노를 느껴도 될 만한 상황인지를 따지면서 상황에 몰입될 것이 아니라 오직 모를 뿐이라는 주문을 외면서 그 상황을 지나치는 습관을 들인다면 범죄를 피할 수 있는 가능성을 높일 수 있을 것입니다.

'바보는 항상 즐겁다'라는 말이 있습니다. 이 말은 디폴트 모드의 작동에 따라 부정적인 기억과 생각에 빠져 괴로워하게 되는 인간이 그러한 괴로움을 정당화하려는 인간 심리의 표현으로 이해할 수도 있습니다. 원래 디폴트 모드는 생명체의 생존과 번식에 유용했기 때문에 진화 발전하였으나 생존과 번식이 국가조직과 법 등으로 제도적으로 보호되는 현대 사회를 살아가는 인간에게는 디폴트 모드가 생존과 번식에 주는 유익성보다는 해악이 더 커졌습니다. 디폴트 모드의 과도한 활성화가 분노를 자극하거나 우울증을 불러오는 등의 부작용을 초래해서 범죄나 자살이라는 극단적 형태로 생존 그 자체를 위협하기도 하기 때문입니다.

이러한 점을 고려한다면 디폴트 모드에서 떠오른 생각이나 기억에 휘둘리지 말고 오직 모를 뿐이라는 주문으로 디폴트 모드의 부작용을 최소화시켜 보는 것도 좋을 것 같습니다.

미 주

제1부 불리한 판결을 피하는 法

1. 형법총론 제11판(2019), 신동운, 법문사 10
2. 뇌속 코끼리 우리가 스스로를 속이는 이유 초판(2023) 케빈 심러, 로빈 헨슨, 옮긴이 이주현, 데이원, 68-72
3. 같은 책, 46-50
4. 왜 인간인가?(Human) 1판(2010) 마이클 가자니가, 추수밭 31-32
5. www.cabinet-zenou.fr/actualites/droit-penal/la-citation-directe-son-fonctionnement-et-ses-conditions-de-mise-en-oeuvre.html
6. www.futurelearn.com/info/courses/australian-crime/0/steps/145050
7. www.bbc.com/future/article/20230509-how-genetics-determine-our-life-choices.
8. 형법총론 제11판 18-19
9. 대법원 2011. 1. 27. 선고 2010도12728 판결
10. www.scourt.go.kr/nm/min_9/min_9_8/index.html
11. 2022 범죄백서(2023) 법무연수원 319
12. Christopher B. Mueller, 'Introduction: O.J. Simpson and the Criminal Justice System on Trial' (1996) 67 Colorado Law Scholarly Commons 729.
13. John Fiske, Media Matters: Race and Gender in U.S. Politics (University of Minnesota Press 1996) 265.
14. 2022 범죄백서 306
15. 광주고등법원 2023. 1. 19. 선고 2021노435 판결
16. 대법원 1994. 9. 13. 선고 94도1335 판결
17. 대법원 2004. 6. 25. 선고 2004도2221 판결
18. 심슨은 범행 후 사실상 범행을 자백하는 내용의 책(O.J. Simpson, If I Did It: Confessions of the Killer)까지 발간한 바 있습니다.
19. 신형사소송법 신동운 4

20. 2022 법죄백서 249

21. 헌법재판소 2010. 11. 25. 2009헌바8 전원합의체 결정

22. 의정부지방법원 2016. 8. 23. 선고 2016노686 판결

23. 대법원 2013. 10. 24. 선고 2013도6285 판결

24. 서울동부지방법원 2017. 1. 24. 선고 2016고정1807 판결

25. 서울동부지방법원 2017. 8. 11. 선고 2017노195판결

26. 서울동부지방법원 2017. 8. 11. 선고 2016고정1951 판결

27. 2022 법죄백서 64-65

28. 서울동부지방법원 2016. 10. 25. 2016고단687 판결

29. 서울동부지방법원 2017. 6. 16. 2016노1812판결

30. 대법원 2015. 6. 11. 선고 2015도1809 판결

31. 서울동부지방법원 2017. 1. 24. 2016고정1933 판결

32. 서울동부지방법원 2017. 9. 1. 2017노197판결

33. 2022 법죄백서 64-65

34. 대법원 1983. 8. 23. 선고 80도1161 판결

35. 서울동부지방법원 2016. 11. 29. 선고 2016고정1543 판결

36. 2022 법죄백서 87

37. 서울동부지방법원 2016. 9. 6. 2016고정1018 판결

38. 2022 법죄백서 64-65

39. 서울동부지방법원 2016. 9. 27. 선고 2016고정1381 판결

40. 서울동부지방법원 2017. 6. 2. 2016노1610 판결

41. 진실적시명예훼손죄 폐지론, 김성돈, 형사정책연구 제27권 제4호(통권 제108호, 2016 겨울)

42. firstamendment.mtsu.edu/article/garrison-v-louisiana-1964/

43. 서울동부지방법원 2016. 12. 6. 2016고정766 판결

44. 서울동부지방법원 2017. 1. 17. 선고 2016고정1426 판결

45. 2022 법죄백서 64-65

46. 서울동부지방법원 2016. 9. 27. 선고 2016고정1354 판결

47. 서울동부지방법원 2017. 2. 7. 선고 2016고정1699 판결

48. 서울동부지방법원 2017. 6. 29. 선고 2017노307 판결

49. m.segye.com/view/20131113001347

50. 대법원 2008. 1. 17. 선고 2007도5201 판결

51. 부산고등법원 2007. 6. 8. 선고 2007노129판결

52. 다만, 범죄 발생 직후 목격자의 기억이 생생하게 살아 있는 특수한 상황에서는 일대일 대면도 허용된다는 대법원 판결도 존재합니다(대법원 2009. 6. 11. 선고 2008도12111 판결).

53. 대법원 2001. 11. 9. 선고 2001도4792 판결

54. 대법원 2016. 12. 15. 선고 2016도15492 판결

55. 헌법재판소 2015. 2. 26. 선고 2009헌바17 등 판결

56. 헌법재판소 2008. 10. 30. 선고 2007헌가17,21, 2008헌가7,26,2008헌바21,47(병합)

57. 서울북부지방법원 2019. 5. 31. 선고 2019재고단4 판결

58. 대법원 2011. 5. 13. 선고 2009도9949 판결

59. 헌법재판소 2016. 2. 25. 2013헌바105, 2015헌바234(병합)

60. 헌법재판소 2021. 2. 25. 2017헌마1113, 2018헌바330(병합) 결정

61. 2022 범죄백서 317.

62. 서울중앙지방법원 2019. 6. 14. 선고 2019고단628 판결

63. 서울중앙지방법원 2019. 10. 24. 선고 2019노1918 판결

제2부 범죄를 피하는 法

1. 모든 순간의 물리학 초판(2016), 카를로 로벨리Carlo Rovelli 옮긴이 김현주, ㈜쌤앤파커스 49-50

2. Brief Answer to the Big Question, Stephen Hawking, Penguin Random House LLC, 49-50

3. www.esa.int/About_Us/ESA_history/Edwin_Hubble_The_man_who_discovered _the_Cosmos; 현재는 안드로메다 은하가 우리 은하로부터 250만 광년 떨어져 있고, 약 1조 개의 별을 거느리고 있는 것으로 알려져 있습니다.

4. Brief Answer to the Big Question 60

5. 인간이 살아가는데 가장 필수적인 산소와 물과 같은 물질은 아인슈타인의 특수상대성 이론에 따른 공식인 $E = mc^2$에 따라 에너지로부터 변환될 수 있다는 점에서 우주의 기본 요소에 물질을 포함시키지 않고 시간, 공간, 에너지로만 한정시킬 수 있습니다.

6. 즉, 하늘로 던진 공이 다시 지표면으로 떨어지는 것을 뉴턴은 지구가 공을 잡아당기는 중력에 의한 것으로 설명했지만, 아인슈타인의 일반 상대성이론에 따르면 시공은 그 속에 존재하는 에너지와 질량의 분포에 따라 왜곡되므로 지구의 질량으로 인해 지구 주변 시공의 곡률에 영향을 미쳐 지구를 이탈하려던 공의 궤적이 지표면과 다시 만나게 된 것으로 설명하는 것입니다.

7. 모든 순간의 물리학 초판 23

8. Brief Answer to the Big Question 44; 중세 그리스도교의 대표적인 철학자였던 토마스 아퀴나스Thomas Aquinas도 유사한 관점에서 시간을 이해한 바 있습니다. 즉, 그는 "우주가 창조되기 전에 신God이 무엇을 하고 계셨는지를 묻는 것은 의미가 없다. 그 이유는 신God이 시간까지 포함하여 모든 것을 창조했기 때문이다. 따라서 그런 질문은 무의미하다"라고 말하였습니다.

9. Brief Answer to the Big Question 32

10. The Selfish Gene(2009), Richard Dawkins, Oxford Universtity Press, 14-15

11. 왜 인간인가? 63-64

12. www.smithsonianmag.com/science-nature/essential-timeline-understanding-evolution-homo-sapiens-180976807/

13. 종의 기원The Origin of Species(2016), 찰스 다윈Charles Darwin, 옮긴이 송철용, 535

14. www.sciencedaily.com/releases/2010/08/100817122405.htm; 이 연구 결과의 의미는 호모 사피엔스가 20만 년 전에 최초로 출현했다는 의미는 아닙니다. 그 이전에 출현했던 여성 호모 사피엔스의 후손들은 현재까지 살아남지 못했다는 의미일 뿐입니다.

15. The Selfish Gene 18

16. 같은 책, 19

17. 같은 책, 69

18. 같은 책 59-60

19. 헌법재판소 2019. 4. 11. 선고 2017헌바127 전원재판부 결정

20. Dobbs v. Jackson Women's Health Organization

21. 라마찬드란 박사의 두뇌실험실(Phantoms in the Brain) 초판(2007), 빌리야누르 라마찬드란Vilayanur S. Ramachandran·샌드라 블레이크스리Sandra Blakeslee, 옮긴이 신상규, 바다출판사 304.

22. www.healthline.com/health/number-of-cells-in-body

23. 라마찬드란 박사의 두뇌실험실(Phantoms in the Brain) 43-44

24. 같은 책 44

25. 왜 인간인가? 43

26. 뇌로부터의 자유(Who's in Charge) 1판(2012), 마이클 가자니가Michael S. Gazzaniga 106-108

27. 같은 책 106; Nelson, M. E., & Bower, J. M.(1990). Brain maps and parallel computers. Trends in Neuroscience, 13(10), 403-408

28. 같은 책 108

29. 같은 책 109

30. www.britannica.com/science/information-theory/Physiology

31. 2비트에 해당하는 정보의 양은 대략 알파벳 글자 하나에 상응하므로 대략 1초에 5개의 알파벳으로 이루어진 단어 5개에 해당하는 정보를 의식에서 처리할 수 있다는 의미가 됩니다.

32. 신경학자 안토니오 다마지오Antonio R. Damasio는 인간의 머릿속에 시각, 촉각, 청각, 후각 등 외부 자극에 대한 정보가 하나로 통합하여 구현된 합성물을 "뇌 속 영화"라고 명명한 바 있습니다. 의식의 비밀Secret of Consciousness(2017), 사이언티픽 아메리칸 편집부, 옮긴이 김지선, 한림출판사 62

33. 뇌로부터의 자유(Who's in Charge) 110-114

34. 같은 책 131-157

35. 같은 책 163-168

36. 삶의 지혜 The Art of Living 초판(2018), 틱 낫한Thich Nhat Hanh, 옮긴이 정윤희, 주식회사 성안당, 49

37. 라마찬드란 박사의 두뇌실험실(Phantoms in the Brain) 43-44

38. www.ncbi.nlm.nih.gov/pmc/articles/PMC3811106

39. neuroscientificallychallenged.com/posts/know-your-brain-default-mode-network

40. www.ibm.com/topics/deep-learning

41. 꿈의 해석Die Traumdetung 4판(2016) 지그문트 프로이트Sigmund Freud, 옮긴이 김기태, 도서출판 선영사 72-90

42. 라마찬드란 박사의 두뇌실험실(Phantoms in the Brain) 164-171

43. The Selfish Gene 51-52

44. www.nytimes.com/1997/07/29/science/to-test-a-powerful-computer-play-an-ancient-game.html

45. Mastering the game of Go with deep neural networks and tree search,

https://www.nature.com/articles/nature16961

46. 선악을 넘어서(2001), 프리드리히 니체, 옮긴이 김훈, 청하 117

47. Bryan Kolb, Brain and behavioural plasticity in the developing brain: Neuroscience and public policy, Paediatrics & Chid Health 2009 Dec; 14(10). 20. 651-652

48. archives.seoul.go.kr/authority/TOPIC-00259

49. monthly.chosun.com/client/news/viw.asp?nNewsNumb=200010100018

50. 대법원 1990. 3. 27. 선고 89도1670 판결

51. 서울고등법원 1989. 7. 22. 선고 89노1475판결

52. 뇌신경 과학자 안토니오 다마지오Antonio Damasio는 소매틱 마커 가설Somatic Markers Hypothesis을 통해 인간은 외부 자극에 대해 온몸으로 반응하므로 이성적 사고만으로 선택과 결정을 할 것을 기대하기 어렵다고 주장하였는데 인간의 사고 및 행동에 미치는 호르몬의 영향력을 설명한 것으로 이해할 수 있겠습니다.

53. 이 반응에 따라 호르몬이 신체에 미치는 영향의 구체적인 내용은 크게 다음 두 가지입니다. 첫 번째는 자율신경계의 교감신경계를 활성화하는 반응입니다. 시상thalamus이 신경말단과 부신 수질에서 각각 노르아드레날린noradrenaline과 아드레날린Adrenaline을 분비하게 하여 심박수를 증가시키고 혈압과 혈당을 높임으로써 위험 회피를 위해 움직여야 할 신체 부위인 팔다리에 충분한 산소와 연료를 공급할 수 있게 하는 것입니다. 두 번째는 시상하부hypothalamus와 뇌하수체 전엽을 거쳐 부신피질에 코르티솔cortisol을 분비하게 하여 혈압과 혈당을 증가시킴으로서 첫 번째 반응과 마찬가지로 위험 회피에 필요한 신체능력을 극대화할 수 있게 하는 것입니다.

54. 형법각론 제2판(2018) 신동운, 법문사, 554-555.

55. www.mayoclinic.org/diseases-conditions/premenstrual-syndrome/symptoms-causes/syc-20376780

56. 광주지방법원 2021. 10. 28. 선고 2020고단6575 판결

57. 서울중앙지방법원 2021. 5. 28. 선고 2021노321 판결

58. 프로이트Sigmund Freud는 인간의 마음을 무의식unconscious, 전의식preconscious, 의식conscious의 3층 구조로 설명하면서 다시 무의식 중 출생과 동시에 생성되는 이드id가 불쾌unpleasure를 피하고 쾌pleasure를 추구하는 쾌락의 원칙pleasure principle에 따르는 것으로 설명합니다.

59. 선악을 넘어서(2001) 159.

60. 2022 범죄백서(2023), 법무연수원 65.

61. 2022 범죄백서에 따르면 나머지 기타 범죄로 분류된 범죄가 15.3%, 공무집행방해죄 1.1%, 문서위조 1.4% 등의 비중을 차지하고 있는 것으로 집계되어 있는데 이들 범죄 역시 대부분 분노나 물욕을 원인으로 한 범죄에 포함될 수 있을 것으로 보입니다. 그렇다면 전체 범죄의 90%가 넘는 범죄가 분노, 물욕, 성욕으로 인한 범죄라고 볼 수 있겠습니다.

62. 무소유 3판(2002) 법정, 범우사 24.

63. www.espn.com/mlb/story/_/id/35978534/shohei-ohtani-make-mlb-record-65m-2023

64. jisin.jp/sport/1621863/

65. paradises.jp/ohtanishohei-money

66. www.tokyo-np.co.jp/article/289351

67. www.cbssports.com/mlb/news/shohei-ohtani-contract-deferrals-opt-outs-everything-to-know-about-the-record-700-million-dodgers-deal/

68. news.yahoo.co.jp/articles/4681ef5efb3d52c511e621a523b774e669fe0a6f

69. 2022 범죄백서(2023), 법무연수원 65

70. 같은 책 79

71. https://www.korea.kr/news/policyNewsView.do?newsId=156500551

72. https://www.bbc.com/news/world-australia-64480070

73. 광주고등법원 2013. 5. 16. 선고 2013노100,2013전노12(병합), 2013치노2(병합) 판결

74. https://news.mt.co.kr/mtview.php?no=2012101013465960343

75. 광주고등법원 2021. 11. 11. 선고 2021노98 판결

76. 형법총론 제11판 376

77. 대법원 1968. 4. 30. 선고 68도400 판결

78. 대전고등법원 2006. 4. 28. 선고 2005노83 판결

79. www.scientificamerican.com/article/free-will-is-only-an-illusion-if-you-are-too/

80. www.theguardian.com/lifeandstyle/2020/oct/30/robert-kardashian-resurrected-as-a-hologram-for-kim-kardashian-wests-birthday

81. 라마찬드란 박사의 두뇌실험실(Phantoms in the Brain) 288

82. 마인드체인지Mind Change, 수전 그린필드Susan Greenfield, 옮긴이 이한음, ㈜비즈니스북스 82-83

83. www.phrases.org.uk/meanings/you-are-what-you-eat.html

84. 서울고등법원 2023. 2. 9. 선고 2022노2478

85.　선악을 넘어서(2001) 100

86.　대법원 1992. 12. 22. 선고 92도2540 판결

87.　www.cbsnews.com/philadelphia/news/meta-sued-apps-harming-young-people-mental-health/

88.　www.business-standard.com/world-news/addictive-manipulative-here-s-why-over-40-states-in-us-are-suing-meta-123102600266_1.html

89.　www.scientificamerican.com/article/the-subtle-power-of-hidden-messages/

90.　medicalxpress.com/news/2012-04-foreign-language-people-rational-decisions.html

91.　프로이트의 의자와 붓다의 방석Freud and The Buddha, 액셀 호퍼 외, 옮긴이 윤승희, ㈜도서출판 아름다운 사람들 107-111

92.　www.scientificamerican.com/article/our-bodies-replace-billions-of-cells-every-day/

93.　medium.com/@theworldaccordingtocgpt/apparently-chatgpt-actually-can-swear-1801b75347b2

94.　pubmed.ncbi.nlm.nih.gov/11037954

95.　화Anger 틱낫한Thich Nhat Hanh 옮긴이 최수민, 명진출판㈜ 35

96.　www.angermanagementseminar.com/affordable-anger-management-classes-real-solutions-to-real-anger-and-aggression.php

97.　Mindfulness이라는 단어는 MIT대학의 존 카밧진Jon Kabat-zinn 교수가 마음챙김 기반 스트레스 완화법Mindfulness-Based Stress Reduction이라는 명상법을 개발한 것을 계기로 국제적으로 유명해지게 되었는데, 존 카밧진 교수는 한국의 숭산스님으로부터 참선을 배우기도 하였습니다.

98.　www.investmentnews.com/silence-those-voices-in-your-head-69986

99.　오직 모를 뿐 개정판(2002), 엮은이 현각, 옮긴이 무산본각, 물병자리, 17, 19

100.　같은 책, 17

참고문헌

국문 참고문헌

1. 꿈의 해석Die Traumdeutung 4판(2016) 프로이트Sigmund Freud 옮긴이 김기태, 도서출판 선영사

2. 뇌속 코끼리 우리가 스스로를 속이는 이유 초판(2023) 케빈 심러, 로빈 헨슨, 옮긴이 이주현, 데이원

3. 뇌로부터의 자유Who's in Charge? 1판(2012) 마이클 가자니가Michael S. Gazzaniga, 옮긴이 박인균, 추수밭

4. 라마찬드란 박사의 두뇌실험실(Phantoms in the Brain) 초판(2007), 빌라야누르 라마찬드란Vilayanur S. Ramachandran·샌드라 블레이크스리Sandra Blakeslee, 옮긴이 신상규, 바다출판사

5. 마음은 그렇게 작동하지 않는다(The Mind Doesn't Work That Way: The Scope and Limits of Computational Psychology) 제리 포더Jerry Fodor, 옮긴이 김한영, ㈜알마.

6. 모든 순간의 물리학 초판(2016) 카를로 로벨리Carlo Rovelli 옮긴이 김현주 ㈜ 쌤앤파커스

7. 무소유 3판(2002) 법정, 범우사

8. 삶의 지혜 The Art of Living 초판(2018), 틱 낫한 Thich Nhat Hanh, 옮긴이 정윤희, 주식회사 성안당

9. 선악을 넘어서(2001), 프리드리히 니체, 옮긴이 김훈, 청하

10. 신형사소송법 제11판(2019), 신동운, 법문사

11. 왜 인간인가? Human 1판(2010) 마이클 가자니가, 옮긴이 박인균, 추수밭

12. 의식의 비밀Secret of Consciousness(2017), 사이언티픽 아메리칸 편집부, 옮긴이 김지선, 한림출판사

13. 자기를 바로 봅시다 성철스님, 장경각

14. 형법총론 제11판(2019), 신동운, 법문사

15. 형법각론 제2판(2018) 신동운, 법문사

16. 종의 기원On the origin of Species(2016), 찰스 다윈Charles Robert Darwin 옮긴이 송철용, 동서문화사

17. 진실적시명예훼손죄 폐지론, 김성돈, 형사정책연구 제27권 제4호(통권 제108호, 2016 겨울)

18. 프로이트의 의자와 붓다의 방석FREUD AND THE BUDDHA 초판(2018), 엑설 호퍼 외, 옮긴이 윤승희, ㈜도서출판 아름다운사람들

19. 화Anger 1판(2009) 틱낫한Thich Nhat Hanh, 옮긴이 최수민, 명진출판㈜

20. 2022 범죄백서(2023), 법무연수원

영문 참고 문헌

1. Bryan Kolb, Brain and behavioural plasticity in the developing brain: Neuroscience and public policy, Paediatrics & Chid Health 2009 Dec; 14(10). 20. 651-652

2. Christopher B. Mueller, 'Introduction: O.J. Simpson and the Criminal Justice System on Trial' (1996) 67 Colorado Law Scholarly Commons 727-745.

3. John Fiske, Media Matters: Race and Gender in U.S. Politics (University of Minnesota Press 1996)

4. Simpson, If I Did It: Confessions of the Killer (first published 2006, Beaufort Books)

5. Richard Dawkins, The Selfish Gene(2009), Oxford University Press

6. Spencer Johnson, Who moved my cheese? (1999) Penguin Random House UK

7. Stephen Hawking, Brief Answers to the Big Questions, Penguin Random House LLC.

8. Yuval Noah Harari, Sapiens: A Brief history of humankind (2015), Vintage Books

참고 판례

국내 판례

대법원 1968. 4. 30. 선고 68도400 판결

대법원 1983. 8. 23. 선고 80도1161 판결

대법원 1990. 3. 27. 선고 89도1670 판결

대법원 1997. 2. 28. 선고 96도2825 판결

대법원 1999. 11. 12. 선고 99도3801 판결

대법원 2001. 11. 9. 선고 2001도4792 판결

대법원 2008. 1. 17. 선고 2007도5201 판결

대법원 2008. 7. 10. 선고 2008도3252 판결

대법원 2009. 6. 11. 선고 2008도12111 판결

대법원 2011. 1. 27. 선고 2010도12728 판결

대법원 2011. 5. 13. 선고 2009도9949 판결

대법원 2013. 10. 24. 선고 2013도6285 판결

대법원 2016. 12. 15. 선고 2016도15492 판결

대법원 2015. 6. 11. 선고 2015도1809 판결

대법원 2020. 9. 24. 선고 2016도14852 판결

광주고등법원 2013. 5. 16. 선고 2013노100 판결

광주고등법원 2021. 11. 11. 선고 2021노98 판결

광주고등법원 2023. 1. 19. 선고 2021노435 판결

대전고등법원 2006. 4. 28. 선고 2005노83 판결

부산고등법원 2007. 6. 8. 선고 2007노129판결

서울고등법원 1989. 7. 22. 선고 89노1475판결

서울고등법원 2023. 2. 29. 선고 2022노2478 판결

광주지방법원 2021. 10. 28. 선고 2020고단6575 판결

서울북부지방법원 2019. 5. 31. 선고 2019재고단4 판결

서울중앙지방법원 2019. 6. 14. 선고 2019고단628 판결

서울중앙지방법원 2019. 10. 24. 선고 2019노1918 판결

서울중앙지방법원 2021. 5. 28. 선고 2021노321 판결

서울동부지방법원 2016. 9. 6. 선고 2016고정1018 판결

서울동부지방법원 2016. 9. 27. 선고 2016고정1354 판결

서울동부지방법원 2016. 9. 27. 선고 2016고정1381 판결

서울동부지방법원 2016. 10. 25. 선고 2016고단687 판결

서울동부지방법원 2016. 11. 29. 선고 2016고정1543 판결

서울동부지방법원 2016. 12. 6. 2016고정766 판결

서울동부지방법원 2016. 12. 7. 선고 2016고정1933 판결

서울동부지방법원 2017. 1. 17. 선고 2016고정1426 판결

서울동부지방법원 2017. 1. 24. 선고 2016고정1807 판결

서울동부지방법원 2017. 2. 7. 선고 2016고정1699 판결

서울동부지방법원 2017. 2. 8. 선고 2017노197 판결

서울동부지방법원 2017. 6. 2. 2016노1610 판결

서울동부지방법원 2017. 6. 16. 선고 2016노1812 판결

서울동부지방법원 2017. 6. 29. 선고 2017노307 판결

서울동부지방법원 2017. 8. 11. 선고 2016고정1951 판결

서울동부지방법원 2017. 8. 11. 선고 2017노195 판결

의정부지방법원 2016. 8. 23. 선고 2016노686 판결

헌법재판소 2008. 10. 30. 선고 2007헌가17,21, 2008헌가7,26, 2008헌바21, 47(병합) 결정

헌법재판소 2010. 11. 25. 2009헌바8 전원합의체 결정

헌법재판소 2015. 2. 26. 선고 2009 헌바 17,205,2010 헌바 194 등 (병합) 결정

헌법재판소 2019. 4. 11. 선고 2017헌바127 전원재판부 결정

헌법재판소 2021. 2. 25. 2017헌마1113, 2018헌바330(병합) 결정

외국 판례

Dobbs v. Jackson Women's Health Organization, 597 U.S. _(2022)

Roe v. Wade, 410 U.S. 113(1973)